Monna Mehrdad

7-13

||||| ||| || |||||| ||| ||| |||||| |||| |||||
D1097499

Conception graphique de la couverture: Martin Dufour
Illustration: André Shirmer

Copyright © 1983 by Les Éditions Héritage Inc.
Tous droits réservés

Dépôts légaux: 4e trimestre 1983
Bibliothèque nationale du Québec
Bibliothèque nationale du Canada

ISBN: 0-7773-3029-6   Imprimé au Canada

Si vous désirez recevoir la liste de nos plus récentes
publications, veuillez écrire à:

LES ÉDITIONS HÉRITAGE INC.
300, Arran, Saint-Lambert, Qué. J4R 1K5
(514) 672-6710

GALAXIE

SURRÉAL 3000

SUZANNE MARTEL

Version simplifiée par
DANIÈLE GEOFFRION
et
ÉRIC MARTEL

ÉDITIONS HÉRITAGE
MONTRÉAL

INTRODUCTION

Une terrible guerre atomique a frappé la planète. Seules quelques centaines de personnes se sont réfugiées sous le Mont-Royal. Elles ont échappé à la Grande Destruction.

Les survivants doivent maintenant rester sous terre, à l'abri des radiations mortelles. Une technologie poussée leur fournit tous les moyens pour se créer une nouvelle vie. Ils peuvent même tirer du roc l'énergie électrique nécessaire.

C'est ainsi que naît et se développe Surréal, la cité souterraine.

De siècle en siècle, Surréal grandit comme une fourmilière. Les traditions prennent forme; la plus importante est le culte de la paix.

Le récit commence vers l'an 3000. La vie de la communauté est en danger.

De jeunes garçons se retrouvent en plein drame, non seulement à l'intérieur mais aussi à l'extérieur de la Cité.

Auront-ils le courage de surmonter tous les obstacles?

C'est l'avenir de Surréal qui se décide . . .

CHAPITRE 1

L'AVENTURE DE LUC

Luc et Eric sont seuls. L'interminable tunnel de marbre blanc est baigné par une douce lumière. Ce coin de la cité souterraine est peu fréquenté, car il est proche de la surface.

L'express ne s'y rend même pas. Luc et Eric parcourent donc les deux derniers kilomètres sur le trottoir roulant. Les deux longs rubans mobiles glissent sans bruit, l'un vers le sud, l'autre vers le nord.

Le climatiseur ronronne. Les enfants y sont habitués depuis toujours; ils ne l'entendent plus. La vie de tous les habitants de Surréal dépend de ce murmure continuel.

Voici la dernière plate-forme. Heureusement, il n'y a personne. Dans Surréal, on n'encourage pas les excursions de ce côté.

— Allons-y!

Luc franchit d'un bond les marches de marbre. Il entraîne Eric à sa suite.

À droite, une galerie étroite mène à une porte

scellée. Un système d'alarme compliqué est relié à la porte. Personne ne doit entrer ou sortir par là. La sécurité de la cité en dépend.

Derrière cette Porte-Frontière, c'est le monde extérieur avec ses périls mortels. Une invasion de l'extérieur semble impossible, mais quelques habitants de Surréal ont déjà tenté de fuir la sécurité du refuge souterrain. Il y a eu quatre cas en mille ans. Ces personnes, considérées comme dangereuses, ont été arrêtées et enfermées.

Luc s'avance avec prudence dans le couloir désert. Son coeur bat fort. Depuis des années, cette porte l'attire. Souvent, après sa journée de classe, il se rend à cette frontière mystérieuse.

Le mois précédent, un tremblement de terre a ébranlé Surréal. Un grondement sourd a terrifié les habitants. Les murs blancs se sont fendus; une fine poussière est tombée. Une panne d'électricité a arrêté l'arrivée d'air.

Heureusement, les moteurs auxiliaires sont entrés en action. Après une dizaine de minutes, tout est rentré dans l'ordre. Le système principal a repris sa marche.

Le Grand Conseil de Surréal a évité la panique avec un message rassurant sur les ondes sonores. Mais depuis ce jour, l'électricité semble plus faible dans la ville souterraine. Parfois, les lumières baissent et les trottoirs roulants ralentissent.

Chaque citoyen a reçu une trousse d'urgence, pour assurer sa survie en cas de nouvelle catastrophe. C'est un tube de plastique, léger, contenant un masque à air et un casque lumineux.

Peu de temps après, Luc a découvert le passage secret. Visitant la Porte-Frontière après la classe, il a vu une fissure dans le couloir de marbre désert. Le tremblement de terre a créé une issue vers l'extérieur!

Sa trousse d'urgence toute neuve lui a donné le courage de tenter la grande aventure. Avec son casque lumineux, il s'est enfoncé dans la faille sombre ouverte à même le roc. Avec son masque à air, il a bravé l'atmosphère empoisonnée de la surface.

Et aujourd'hui, Luc partage son secret avec son meilleur ami, Eric 6B12. À quatre pattes, il se glisse résolument dans la fissure étroite. Eric, terrifié, n'ose le suivre. Luc se redresse et l'appelle.

— Viens. Mais viens donc! Ne nous attardons pas ici.

— J'ai peur!

— Tu m'as promis de me suivre.

À contrecoeur, Eric s'introduit dans le trou sombre. Son sac de classe racle le plafond bas. Sa tunique blanche s'accroche à une pierre. Mais la voix calme de Luc le rassure.

— Prends ta trousse d'urgence.

Eric ouvre son tube de plastique. Comme tous les enfants de Surréal, il s'est déjà amusé à mettre le casque et le masque, mais il n'a pas autant d'expérience que Luc.

Le casque lumineux est une calotte blanche qu'on met sur la tête. En tournant un bouton, on déclenche un faisceau lumineux alimenté par les ondes électriques du cerveau.

— Vite!

Luc a déjà allumé son casque. Après quelques tâtonnements, Eric produit lui aussi un rayon de lumière. Son ami le taquine:

— Voilà la preuve que tu as un cerveau!

Le masque à air maintenant. Les deux garçons ajustent le masque transparent, qui couvre le nez et la bouche. Ils peuvent ainsi respirer en toute sécurité. Le masque étouffe un peu la voix, mais il n'empêche pas de parler.

Voilà les garçons prêts pour leur expédition. Luc pose la main sur le bras d'Eric.

— Tu vas d'abord me jurer de ne pas révéler mon secret. Jamais je n'en ai parlé à personne, pas même à mon frère Paul.

— Je te le jure.

— Ce n'est pas assez. Fais-moi le Grand Serment de Surréal.

L'instant est solennel. Les deux amis sont agenouillés dans le tunnel de pierre sombre. Ils s'éclairent l'un l'autre avec leurs rayons lumineux. Leurs tuniques blanches captent la clarté. Eric lève la main droite.

— Moi, Eric 6B12, je te jure sur le Premier Moteur de ne révéler ton secret à personne. Jamais! Sinon . . .

Il s'arrête, hésitant. Luc le presse:

— Continue!

Eric récite rapidement, tout d'un trait, la terrible malédiction du Grand Serment de Surréal:

— Sinon, que je sois rejeté à l'extérieur, pour y périr horriblement.

Luc est satisfait.

— Bien. En marche, maintenant.

Eric l'arrête:

— Mais c'est ridicule! Nous allons justement à l'extérieur! N'allons-nous pas y périr horriblement?

La peur reprend le petit garçon. Luc regrette maintenant la formule malheureuse. Il a déjà eu assez de difficulté à convaincre son ami de l'accompagner!

— Je t'assure qu'il n'y a aucun danger.

— Comment le sais-tu?

— Je suis allé plusieurs fois à l'extérieur. Et tu vois, je suis encore bien vivant.

Il détache son sac de classe. Il en retire quatre sacs de polythène. Il recouvre ses sandales et celles de son ami.

— Tu penses à tout.

— Il ne faut pas attirer l'attention. Des souliers

11

boueux laisseraient des traces dans notre ville imma-culée.

Tirant Eric par la main, Luc s'engage dans l'étroit corridor de roc. Il parle sans arrêt pour encourager son ami.

— Tu vas voir des choses extraordinaires. Tu vas voir le monde extérieur que tous les vieux livres décri-vent. Tout ce qu'on nous montre en vision reproduc-tive n'est rien à côté de la réalité. L'espace sidéral est bleu, et c'est immense, immense! L'astre-soleil chauf-fe les mains. Le sol est couvert de plantes vertes.

Le tunnel monte en pente raide. Parfois, il est à peine assez large pour les garçons. À un tournant, le passage débouche brusquement sur une galerie plus large.

Une bouffée d'air froid glace les explorateurs. Les murs humides sont couverts de mousse. Très loin, un point lumineux indique la sortie à l'Air Libre.

Eric s'arrête:

— Et les radiations? On nous parle toujours des radiations!

Luc est catégorique:

— C'est fini tout ça, depuis longtemps.

— Comment le sais-tu?

— J'en suis sûr, je ne peux pas expliquer pourquoi.

Luc parle avec une calme conviction. Une voix intérieure semble le rassurer, lui donner cette certitude. Plus il s'approche de l'extérieur et plus il se sent attiré vers ce monde extraordinaire où les hommes vivaient avant la Destruction.

Eric est émerveillé:

— Ce devait être l'entrée de la Cité, autrefois.

— Oui, et le tremblement de terre a ouvert ce passage, qui contourne la Porte-Frontière.

— Luc, où as-tu pris le courage d'explorer ça tout seul?

— Je ne comprends pas très bien moi-même. Ma première expédition m'a semblé si naturelle, si instinctive! C'est comme si une voix m'appelait.

— Il fait froid.

Les enfants sont habitués à une température uniforme dans le monde clos de la Cité. Ils grelottent dans leurs vêtements légers.

— Attends. À l'Air Libre, il fera chaud.

CHAPITRE 2

L'AIR LIBRE

Les derniers mots de Luc font frémir Eric. L'Air Libre! Il se rappelle tout ce qu'on lui a enseigné: l'air de l'extérieur est saturé de gaz mortels et de radiations atomiques; la nature a été dévastée par la Grande Destruction; rien n'a survécu, ni homme, ni bête.

Seuls ceux qui ont trouvé refuge dans les souterains du Mont-Royal ont été sauvés. Ces quelques centaines de privilégiés ont scellé les portes de plomb derrière eux. Ils ont fondé Surréal. Au-dessus d'eux, le monde civilisé est mort, détruit par la bêtise des hommes et la guerre atomique.

Pour la première fois depuis mille ans, deux enfants osent braver l'inconnu. Mais un bruit étrange les arrête. Eric dit:

— Ça ressemble au bruit des cascades souterraines. Qu'est-ce que c'est?

Luc est étonné:

— Je ne sais pas. C'est la première fois que j'entends cela. Attends.

Et laissant son ami, il s'avance vers la bouche du tunnel. Ô surprise! Il y a une grande nappe d'eau à la sortie. Le bruit est causé par des milliers de gouttes d'eau. Elles semblent tomber du ciel.

Eric n'a pas du tout l'intention d'être abandonné dans ce lieu inconnu. Il rejoint Luc, et pour la première fois, il aperçoit le monde extérieur.

— Comme c'est grand!

Cette immensité lui coupe le souffle. Ses yeux ne sont pas habitués aux distances; ils ne savent pas où se poser. Pourtant la brume limite l'horizon.

Après quelques secondes d'admiration muette, Eric se tourne vers son ami.

— Mais où sont le bleu et le vert? Et je ne sens pas de chaleur!

Luc est consterné:

— Je n'y comprends rien!

Il tend la main vers l'eau froide qui tombe du ciel. Des nuages gris cachent le soleil. Le brouillard masque les arbres et les montagnes.

Eric a bien étudié les anciens livres.

— Ce doit être le phénomène atmosphérique de la pluie.

Il frissonne.

— Si nous prenons froid, l'enquêteur médical voudra savoir où nous sommes allés. Il vaut mieux rentrer.

Ce spectacle terne et gris le déçoit beaucoup après les descriptions lyriques de Luc. C'est pour voir cela qu'ils risquent les sanctions terribles du Grand Conseil? Mais Eric ne veut pas peiner son ami. Il propose sans conviction:

— Nous reviendrons.

Les deux enfants replongent dans les profondeurs de la terre. Luc a le coeur lourd. Il a appris si vite à aimer la nature! Il voulait tant la partager avec son meilleur ami! Mais aujourd'hui la nature l'a trahi.

Luc veut vivre, un jour, à l'Air Libre. Pour l'instant, mieux vaut garder son rêve pour lui seul.

Les deux garçons retrouvent, à la Porte-Frontière, l'ambiance familière de Surréal. Ils s'inspectent mutuellement. Rien dans leur apparence ne doit signaler leur sortie interdite.

Luc plaisante:

— N'oublie pas que tu as fait le Grand Serment!

— Je ne dirai rien! Sinon, que je sois rejeté à l'extérieur, pour y périr horriblement!

Ils sourient tous les deux, complices. Pour eux seuls, de tous les habitants de ce monde souterrain, la menace n'est plus efficace.

Les deux garçons reprennent leurs sacs de classe et s'approchent avec prudence du trottoir roulant.

Personne! Ils sautent d'un bond sur le premier trottoir. Comme il roule un peu trop lentement à leur goût, ils augmentent leur vitesse par une course légère.

Ils atteignent bientôt le terminus de l'express. Quelques travailleurs, qui rentrent de l'ouvrage, montent avec eux. L'express, composé de dix wagons de plastique transparent, file régulièrement vers le centre de la cité.

Luc et Eric essaient d'avoir l'air calme. On les regarde sans curiosité. Tous les enfants de Surréal aiment bien explorer les recoins de la ville.

Un haut-parleur répète les dernières nouvelles:

— Le récent tremblement de terre a affaibli les réserves d'énergie électrique. Le couvre-feu sera bientôt prolongé, pour ménager l'électricité. La nuit durera alors treize heures.

Eric se désole:

— Si ça continue, nous n'aurons plus le temps de jouer.

Arrivé à son arrêt, il se lève:

— À demain, Luc!

— N'oublie pas de mettre ta tunique dans l'auto-laveuse.

— Tu as raison.

Eric bondit hors de l'express. Il saute ensuite sur le trottoir roulant qui passe devant la porte de sa demeure.

CHAPITRE 3

LA FAMILLE D'ERIC

Pendant quelques minutes, Eric glisse avec le trottoir roulant le long de sa rue, large de six mètres. Devant et derrière lui, des voisins causent tranquillement et saluent des gens qui les croisent en sens inverse.

Chacun surveille du coin de l'oeil les numéros inscrits sur les portes blanches. Toutes les portes se ressemblent dans ces corridors uniformes. Un moment de distraction et on se retrouve à plusieurs mètres de chez soi.

Devant le numéro 54-12-146, Eric saute sur le seuil de marbre. Il passe son bracelet-matricule devant le cadran de contrôle électronique. Répondant à des ondes connues, la porte glisse dans le mur. Puis elle se referme silencieusement sur ses talons.

Eric se retrouve dans le vestibule d'entrée, qui a la forme d'un grand cube blanc. Il s'arrête sur une plaque rouge. Automatiquement, l'inspecteur-robot de l'hygiène l'examine avec des rayons invisibles. Aujourd'hui, il n'est pas satisfait. Eric porte des traces de poussière et de boue. Une lumière rouge s'allume sur le mur. Eric s'y attendait.

— Aujourd'hui, vous allez avoir des microbes intéressants à détruire.

L'inspecteur-robot lui envoie le signal: *conseille une toilette immédiate.*

Si Eric n'obéit pas, le Cerveau électronique en prendra note. Dès le lendemain, le garçon recevra par télétype un démérite du Conseil d'Hygiène. Plusieurs démérites entraînent une sanction du Grand Conseil.

Des sanctions répétées, s'accumulant dans un dossier, peuvent disqualifier le coupable comme citoyen de Première Classe.

Eric tient beaucoup à son statut de Première Classe. Il lui permettra des études avancées et un avenir intéressant.

Résigné, le garçon pénètre donc dans la salle de propreté. Il dépose son sac de classe et sa trousse de secours. Dans l'auto-laveuse, il glisse sa tunique tachée de boue et même ses sandales de plastique noires.

Puis il s'enferme dans la cabine de douche. Distraitement, il presse un des nombreux boutons du cadran de contrôle.

Aussitôt Eric pousse une exclamation de détresse:

— Ah non! pas encore!

C'est le traitement prévu pour son frère Bernard qu'il est en train de recevoir. Et ils n'ont pas du tout les mêmes goûts. Bernard est un jeune athlète qui aime les contrastes violents. Un jet brûlant fouette Eric, aussitôt suivi par une douche glacée qui lui coupe le souffle. Puis c'est une véritable tempête d'air chaud pour le sécher.

Le petit garçon sort de là pantelant et resplendissant. Furieux, il reprend ses vêtements dans l'auto-laveuse. La tunique est toute fraîche, les sandales brillantes.

Le voilà prêt à retourner devant l'inspecteur-robot. Cette fois le signal est vert. Eric peut rentrer chez lui.

Le voici dans le salon. C'est une salle carrée aux murs blancs. Le garçon voit sa mère, assise dans son fauteuil-visaphone.

Madama 6B12 est en train de causer avec une amie. Voyant entrer son plus jeune fils, elle lui sourit tendrement.

Eric se penche pour embrasser sa mère. Il prend bien soin de passer dans le champ de vision du minuscule écran.

L'amie dit:

— Ah! je vois que votre fils arrive. Je vous rappellerai demain.

Et elle s'efface avec complaisance. Eric est content de sa petite ruse.

Il constate que les fauteuils de son père et de son frère Bernard sont vides. Il demande à sa mère:

— Les autres ne sont pas rentrés?

— Non, il y a eu des ennuis à la Centrale électrique. Les ingénieurs essaient de trouver la cause du problème. Ton père m'a visaphonée que Bernard l'a rejoint. Ils arriveront un peu plus tard.

Le garçon jette son sac dans son fauteuil. Chacun a un fauteuil pivotant, en plastique noir. Ce sont les seuls meubles du salon.

Au fond de la pièce se trouve le mur-écran. Sa forme arrondie permet une bonne visibilité pour tous les membres de la famille.

Chaque habitant de la maison a son cube-de-nuit, où il se retire pour dormir.

À gauche, entre les deux portes des cubes-de-nuit de ses parents, un cadre vide attire Eric. Il y en a un deuxième à droite, entre les deux cubes-de-nuit d'Eric et de Bernard. Ce sont les auto-tableaux. On peut les décorer à nouveau tous les jours en jouant avec les boutons multicolores d'un clavier.

— Je vais décorer pour ce soir, annonce le garçon.

Habilement, Eric utilise les manivelles comme un peintre utilise ses pinceaux. Le jeune artiste crée les couleurs vives et les lignes géométriques d'un dessin très réussi. D'un dernier tour de clé, il signe son oeuvre. Sa mère le félicite:

— Il est très bien, ton tableau.

Madame 6B12 décide alors de préparer la table. Rien de plus simple. Le bras droit de son fauteuil contient une série impressionnante de boutons. Elle en presse un. Aussitôt, une table blanche surgit du plancher entre les fauteuils.

— Eric, en attendant ton père, veux-tu une boisson revigorante?

— D'accord, maman!

Le garçon est occupé à composer le deuxième auto-tableau. Il s'efforce de reproduire la brume du monde extérieur. Ce n'est pas facile avec cette machine de précision faite pour un monde fermé.

Sa mère lui demande:

— Comment le veux-tu, ton revigorant?

— Rouge, chaud et sucré, s'il te plaît!

Il y a un microphone dans la table. Madame 6B12 dicte les instructions d'Eric à la cuisine-robot. Après quelques minutes, un déclic et une lumière jaune annoncent que la commande est remplie.

Le garçon quitte à regret son oeuvre inachevée. Il s'installe dans son fauteuil. Soulevé par un plateau mobile, un verre apparaît, rempli d'une boisson rouge, fumante et parfumée.

Eric s'aperçoit soudain qu'il a faim. Il a oublié d'avaler la pilule de son goûter cet après-midi.

Sa mère, professeur d'histoire ancienne, se détend après une journée de cours. Elle rallume sa cigarette-éterna pour la dixième fois aujourd'hui.

— Alors, Eric, qu'as-tu fait aujourd'hui?

Le petit garçon ne tient pas à parler de ses activités de l'après-midi; il n'a pas oublié son serment. Il répond vaguement.

— Oh! j'ai exploré avec Luc. Tu sais bien, Luc 15P9. Nous suivons des cours de spéléologie ensemble.

— C'est ce garçon qui a gagné le concours d'art oratoire du Grand Conseil?

— Non, c'est son frère Paul qui a gagné.

Eric est heureux de la diversion. Il poursuit:

— Et sais-tu la récompense qu'il aura? La semaine prochaine, il va prononcer un discours au Réseau Général de la radio-vision.

— Quel grand honneur pour un enfant! Ses parents doivent être fiers de lui.

— Oh! Paul n'est plus un enfant. Il a quatorze ans.

À ce moment, une lumière clignote au-dessus de la porte d'entrée. Madame 6B12 annonce:

— Tiens, voilà ton père!

Elle se lève pour aller embrasser son mari. Dans cette famille unie, on est toujours content de se retrouver. Monsieur 6B12 est grand, très grand même pour un citoyen de Surréal. Eric saute à son cou et se perche sur son bras.

— Tu commences à être lourd pour ce genre d'acro-batie! plaisante son père.

Madame 6B12 demande:

— Bernard n'est pas avec toi?

— Tu le connais! L'inspecteur-robot était tout rouge. Bernard n'entrera pas ici sans une bonne douche.

Eric s'exclame:

— Il peut bien bouillir et geler!

Ses parents ne peuvent s'empêcher de rire. Le goût de Bernard pour les douches violentes est célèbre dans la famille. Eric, éternel distrait, s'y est souvent fait prendre.

CHAPITRE 4

BERNARD, LE HÉROS

Eric et ses parents prennent place autour de la table. À ce moment, la porte glisse et Bernard surgit. C'est un garçon de treize ans, aux yeux noirs brillants de malice. Il bondit dans la salle, retombe sur les mains et atterrit dans son fauteuil.

— Bonjour tous, me voilà!

— Sans aucun doute! remarque Monsieur 6B12.

Le bon père de famille se commande un revigorant blanc, froid et fort.

La première partie du repas est obligatoire. C'est la pilule-souper prévue par le département de Diététique. On passe ensuite au menu libre.

Eric demande un carré au chocolat, qui surgit devant son fauteuil sur un plateau mobile. Ses parents demandent des cubes aux fruits synthétiques. Bernard réclame une double portion de carrés à l'érable.

Le dessert de Bernard arrive accompagné d'une petite note tapée à la machine. Le cerveau électronique de Diététique n'est pas content: "Sixième double commande d'érable en six jours. Abus. Une autre demande d'ici dix jours entraînera une sanction."

Le gourmand est furieux:

— Sale vieille machine!

Sa mère conseille anxieusement:

— Bernard, sois prudent. Le directeur des études de calcul t'a déjà donné une sanction ce mois-ci. Et tu as eu deux avertissements pour tapage dans l'express.

Le père intervient:

— Ne compromets pas ton avenir par des étourderies. Cela peut être très sérieux. Tu risques de perdre ton statut de Première Classe.

Le caractère volcanique de son fils aîné inquiète Monsieur 6B12. Trop d'exubérance peut facilement devenir un manque de civisme dans le monde clos de Surréal.

Il ajoute:

— Tu nous rends de réels services à la Centrale électrique. Ne gâche pas ton dossier par des bêtises.

Eric, charitable, vient au secours de son frère:

— Qu'est-ce qu'il fait à la Centrale?

Monsieur 6B12 fait signe à Bernard de ne pas répondre à la question. Mais celui-ci, impulsif, ne remarque rien. Il déclare fièrement:

— J'essaie de repérer la fuite d'électricité avec un détecteur électronique.

Aussitôt inquiète, sa mère lui demande:

— N'est-ce pas dangereux?

L'étourdi explique:

— Si jamais il y a du danger, ma lampe-pilote s'allumera.

Madame 6B12 est indignée:

— Ce n'est pas un travail pour un enfant! Que font les employés de la Centrale pendant ce temps?

Bernard ne manque pas une si belle occasion de briller.

— Ils attendent à l'entrée des tuyaux du Grand Moteur. Personne n'y a pénétré depuis des centaines d'années.

Cette fois c'en est trop. Madame 6B12, furieuse, bondit sur ses pieds. Elle se tourne vers son mari:

— Comment, Georges, cet enfant se promène dans les conduits scellés du Grand Moteur?

L'ingénieur est fâché de voir la vérité éclater si tôt. Il essaie de calmer sa femme en expliquant:

— Écoute, Mara, les conduits sont trop étroits. Seul un enfant peut y circuler. Les moteurs ont été scellés depuis des siècles, pour une action permanente. Mais le dernier tremblement de terre a créé une fuite quelque part. Il faut repérer cette fuite le plus vite possible.

Bernard regrette son indiscrétion. Il vient au secours de son père:

— Oui, sinon nous allons manquer d'électricité.

Sa mère a les jambes coupées par cette terrible révélation. Sans électricité, Surréal ne peut survivre. Madame 6B12 se rassoit et demande à son mari:

— Georges, c'est donc si grave?

Il se penche et saisit sa main.

— Oui, Mara. C'est pour cela que j'ai demandé à Bernard de nous aider.

— Mais pourquoi Bernard? Il y a beaucoup d'autres enfants à Surréal!

— Oui, mais Bernard est athlétique. Il faut beaucoup d'agilité dans ces couloirs étroits. Ensuite, Bernard connaît la Centrale électrique depuis son enfance. Il passe ses jours de congé à poser des questions aux ingénieurs. Il comprend le fonctionnement des appareils électriques. Enfin, il faut éviter une panique. Toute l'affaire doit rester entre nous.

Monsieur 6B12 est fier de son fils, mais ici il le regarde avec reproche avant de dire à sa femme:

— J'espérais attendre encore avant de te révéler tout ceci. Maintenant, tu vas connaître des heures d'inquiétude.

Bernard baisse la tête. Encore une fois, son impulsion l'a trahi. Cette fois, sa victime est sa mère qu'il aime tant. Il se jette à son cou:

— Ne t'en fais pas, maman, je te jure que je serai prudent. D'ailleurs il n'y a pas de danger, je fais un rapport à toutes les minutes.

— Un rapport? Que veux-tu dire?

L'ingénieur explique:

— Nous guidons son évolution par radio-communication. L'ingénieur en chef suit son trajet sur le plan. Nous ne le perdons pas de vue une seconde au radar.

Bernard ajoute:

— Je marque mon chemin à mesure sur les murs.

Eric, intrigué, pense au Petit Poucet des anciens contes.

— Pourquoi cela? demande-t-il.

— Pour ne pas me perdre, et surtout pour ne pas inspecter deux fois le même tuyau.

— Il fait noir là-dedans?

Eric pense à son ami Luc, si courageux. Et il y a un héros à la maison, maintenant!

— Je mets mon casque lumineux et mon masque à air.

— Toi aussi!

L'exclamation a échappé à Eric.

— Comment, moi aussi?

— Oh! je veux dire, tu les mets . . . mais pas pour jouer.

— Certainement pas pour jouer! Je travaille, n'est-ce pas, papa?

Un éclair de fierté brille dans les yeux de l'ingénieur.

— Oui, mon petit, et ton travail évitera peut-être bien des ennuis à la Cité.

Puis, Monsieur 6B12 se tourne vers sa femme et Eric.

— Il faut garder le secret sur tout ceci. Vous le comprenez, n'est-ce pas? Mara, je n'ai pas d'inquiétude de ton côté. Eric, tu dois jurer de n'en parler à personne, pas même à ton meilleur ami.

Le petit garçon déclare:

— Je peux faire le Grand Serment de Surréal, si tu veux.

Quelle journée fertile en engagements solennels! Monsieur 6B12 sourit, amusé.

— Ce n'est pas nécessaire. Ta parole me suffira. J'ai déjà celle de Bernard.

— Je te la donne, promet Eric, bien décidé à être plus discret que son frère.

Le père déclare:

— En attendant, vous êtes toujours des étudiants. Si je ne me trompe pas, les étudiants étudient le soir!

Bernard fait une suggestion:

— Je mérite peut-être un congé?

Monsieur 6B12 voit que la gloire monte à la tête de son aîné. Il répond avec force:

— Non! Tu fais ton devoir de citoyen pendant deux heures par jour. Ça ne te donne pas le droit de grandir en illettré, pour devenir un fardeau à la charge de la société.

Madame 6B12 console son grand en l'embrassant. Elle lui donne une tape amicale et lui indique la porte d'entrée:

— Tu as dû oublier ton sac de classe dans la salle de propreté encore une fois. Va vite le prendre, puis enferme-toi dans ton cube-de-nuit. J'irai te dire bonsoir tantôt. Toi aussi Eric, à l'étude!

Le plus jeune, studieux, ramasse son sac. Il s'attarde quelques secondes pour voir le titre du programme que ses parents écouteront. Il ne regrette rien lorsqu'il les voit choisir un concert de musique contemporaine.

Bernard s'est arrêté devant l'auto-tableau d'Eric.

— Ce n'est pas gai, ton truc. Qu'est-ce que ça représente, cette grisaille?

Un peu gêné, Eric répond:

— Oh! rien, des histoires imaginaires.

D'un tour de manette, il efface son oeuvre.

Chacun des enfants, dans son cube-de-nuit, s'installe à son pupitre. Des cassettes de dicta-vision aident à préparer les cours du lendemain.

Plus tard, après le baiser tendre de leurs parents, ils s'endorment. Sans le savoir, ils font tous les deux un

rêve semblable. Ils errent dans des corridors sans fin, guidés par un faisceau de lumière et par l'héroïsme simple des enfants courageux.

CHAPITRE 5

LA VIE D'ÉTUDIANT DE PAUL

Le lendemain matin, à huit heures, les étudiants se retrouvent au gymnase pour une partie inter-cours de ballon-robot.

Bernard, assis sur le banc de la salle des équipes, chausse de légères bottes de caoutchouc synthétique. Son chef de quart et ami, Paul 15P9, le rejoint.

Tous les joueurs se pressent. Il ne reste que cinq minutes avant le début de la joute.

Bernard attache sa ceinture sonique sur son maillot rouge. Paul glisse dans sa joue la rondelle plate de son bruiteur ultra-sonique. Il pourra ainsi guider le jeu des membres de son équipe.

Au signal, l'équipe des rouges et celle des bleus se groupent autour des deux chefs.

Paul montre un petit disque d'argent.

— Voilà le jeu que m'a remis le directeur d'athlétisme. L'évaluateur de chances prévoit un résultat de 23 à 16 avec 39 pour le robot.

Personne ne sait quelle équipe le Cerveau électronique favorise. Qui aura 23? Les rouges, les bleus? Mais 39 pour le robot, c'est trop fort! Les jeunes joueurs montrent leur mécontentement. Ils crient tous ensemble:

— Nous battrons le robot!

Ils pénètrent dans une salle carrée. Le plafond et le plancher sont blancs. Les quatre murs portent les couleurs des équipes: deux rouges, deux bleus.

Paul glisse le disque argenté dans le panneau-contrôle. Aussitôt, une trappe s'ouvre et le ballon-robot, jaune et léger, roule à ses pieds.

Coup de sifflet. La partie commence.

Il s'agit de lancer le ballon contre le mur de l'équipe adverse. Au toucher, le mur s'illumine pendant une seconde et fait entendre un gong de victoire. Le cadran automatique indique le pointage.

Mais le plus difficile est que les deux équipes doivent empêcher le ballon de toucher le plafond. Ceci accorde un point au robot.

Le ballon est téléguidé par le disque-robot et tous les mouvements ont été prévus. Les joueurs doivent être rusés et très habiles pour déjouer le Cerveau électronique.

Personne n'a le droit de parler pendant la joute. Chaque infraction coûte un point à l'équipe du coupable.

Les ceintures-soniques des joueurs captent les

signaux de leurs chefs. Chacun est à son jeu. Les maillots rouges et bleus s'entrecroisent; les murs s'illuminent; le gong ponctue les victoires; le ballon moqueur marque ses points.

Au premier repos, le ballon retombe au sol. Pendant quelques secondes, la conversation est permise.

Bernard est de mauvaise humeur.

— Ça va mal! Les bleus ont déjà six points d'avance.

En bon chef, Paul essaie de redonner confiance à son équipe.

— Oui, mais le ballon n'en a que dix. Si nous faisons mentir le Cerveau électronique pour la troisième fois, notre équipe méritera la ceinture verte.

Coup de sifflet. La partie reprend de plus belle.

Le pointage final est 27 pour les rouges, 14 pour les bleus et 35 seulement pour le robot.

Dans la salle de propreté, Paul voit à ce que chaque athlète dépose son maillot et ses bottes dans l'auto-laveuse. Bernard range les ceintures-soniques.

Les joueurs tapent Bernard sur l'épaule.

— Félicitations, mon gars!

— Un bel arrêt, champion!

— Comment as-tu deviné que le ballon allait remonter au plafond une troisième fois?

Bernard pénètre dans la cabine de douche. Il en sort revigoré et la figure toute rouge.

— Paul, viens ici. J'ai préparé ta douche. Tu n'as qu'à presser le bouton.

Paul le remercie et s'enferme dans la cabine. Aussitôt on entend des cris de rage. Le traitement favori de Bernard le ballotte à droite et à gauche.

Bernard étouffe de rire. Il enfile sa tunique en toute hâte et file vers la sortie, ses sandales dans la main.

Paul sort de la douche hors d'haleine et furieux.

— Les bottes de jeu et les chaussures de spéléologue sont faites avec un plastique spécial. La fabrication de ce plastique comprend six opérations . . .

Paul assiste à un cours de chimie. Installé devant l'écran, il prend des notes. Les étudiants doivent faire, seuls en laboratoire, les expériences qu'on leur montre pendant les cours.

À la récréation, Paul s'arrête près de la porte. Ses camarades passent à côté de lui.

À Surréal, tous les enfants du même âge se ressemblent beaucoup. Leur tenue vestimentaire est identique et personne n'a de cheveux dans la cité souterraine. Le Département d'Hygiène a décidé, il y a des siècles, que les cheveux sont inutiles et encombrants. Chacun, homme, femme, et enfant, est également chauve.

Paul ajuste le cadran de sa montre-radio-émetteur.

C'est un jouet rare à Surréal. Paul et son frère Luc en ont chacun une. Leur père médecin a fait ce cadeau aux enfants après la mort de leur mère. Ces montres aident à nouer le lien entre eux.

Un bourdonnement discret avertit Paul que son père désire communiquer avec lui. Comme toujours, le médecin est bref:

— Je ne rentrerai pas avant la nuit. Occupe-toi de ton frère.

Aussitôt, Paul contacte Luc. Le jeune garçon répond par un chuchotement.

— Parle bas! Je suis au cours de spéléologie.

— Papa ne rentrera pas ce soir. Je vais me baigner aux Grottes cet après-midi; veux-tu venir avec moi?

Cette invitation de son grand frère tente beaucoup Luc. Mais il hésite. Finalement, l'appel de l'Air Libre l'emporte.

— Merci. Je ne peux pas.

Luc ne veut pas être questionné. Il ajoute aussitôt:

— Comment a été ton examen de géologie?

— Affreux! Je l'ai coulé. J'espère trouver bientôt un spécimen de roche rare pour calmer le professeur. C'est surtout pour ça que je vais aux Grottes!

— Bonne chasse! Paul, le signal-semonce de mon fauteuil clignote. Je dois couper.

Luc coupe la communication et reporte son attention sur l'écran.

De son côté, Paul rassemble quelques camarades. Ils conviennent d'un rendez-vous pour une excursion de géologie aux Grottes, avec baignade au lac Noir.

Paul se rend ensuite à l'audiothèque. Le professeur de littérature ancienne a donné un livre à étudier à sa classe. Paul passe une heure avec un casque à écouteurs sur la tête. Une voix expressive raconte l'histoire passionnante.

Les ancêtres ont apporté quelques centaines de volumes dans la cité souterraine. Depuis, on les a enregistrés. La jeunesse de Surréal peut ainsi se documenter. Mais ces livres ne sont pas faciles à étudier. Ils sont pleins de mots disparus comme: pluie, gratte-ciel, fusée, lune . . .

Ils décrivent des actions impossibles comme faire du ski, traverser des déserts, des forêts immenses . . . Ils mettent en scène des formes de vie animale inconnues depuis longtemps. Un héros de ces livres antiques galope sur un cheval fougueux, dompte un lion, ou même est piqué par un moustique. Cette dernière mésaventure ridicule réjouit follement les jeunes auditeurs souterriens.

Paul s'amuse beaucoup de son sujet actuel, *Le tour du monde en 80 jours* de Jules Verne. Il en est rendu à la traversée de l'Inde. Il a des convulsions de fou rire quand l'auteur décrit un éléphant. Les auditeurs casqués qui entourent Paul lui lancent des regards sévères.

"Quelle imagination!" se dit le garçon. L'énorme animal mythique élève un passager jusqu'à son dos avec sa trompe. Paul rit de plus belle. Mais un signal-semonce, clignotant au bras de son fauteuil, le rappelle à l'ordre.

À midi, Paul s'arrête une minute à un des Buffets-Pilules de la Cité scolaire. Il passe son bracelet matricule devant le repéreur. Le Cerveau électronique choisit la pilule particulière pour Paul 15P9. Paul avale aussitôt sa petite capsule orange. L'écran-espion note que Paul a accompli son devoir de citoyen en mangeant sa ration obligatoire.

Paul se rend ensuite avec deux amis à la Spirale la plus proche. Ils s'enregistrent tous les trois pour leurs 500 mètres quotidiens.

La Spirale est une invention qui date depuis toujours dans la ville souterraine. Elle permet aux habitants de Surréal de faire de l'exercice et de rester en bonne santé. Tous, à part les bébés, doivent courir au moins 500 mètres par jour. Seule une raison très grave peut dispenser de cette obligation.

À tous les carrefours de la cité, les Spirales attendent les citoyens. Ce sont d'immenses galeries qui s'élèvent en cercle comme une vis. Rendu au sommet, on redescend dans la Contre-Spirale, en pente douce. À la sortie, on fait une brève pause devant un écran du Comité d'Hygiène. Les battements du coeur et le rythme de la respiration sont vérifiés. Les maladies sont ainsi découvertes dès leur origine.

Paul et ses deux amis doivent faire un trajet de Spirale supplémentaire. Comme ils sont jeunes et vigoureux, on leur impose plus d'exercice.

Par un hasard assez fréquent, chacun court ce deuxième circuit à côté d'une jolie jeune fille. Des yeux exercés les ont repérées lors du premier tour. La ronde des Spirales a été de tout temps l'occasion de bien des camaraderies. Presque toutes les mères peuvent confier rêveusement à leurs enfants: "J'ai connu votre père à la Spirale de l'ouest . . . à celle de la Cité médicale . . . ou à la Piscine des Artistes." Car la natation quotidienne est une autre obligation sociale imposée par le Bureau d'Hygiène.

Son devoir sportif accompli, Paul passe à la section de spéléologie. Là, il emprunte l'équipement standard: salopette isolante indéchirable, bottes adhérentes, casque lumineux à l'épreuve des chocs, un rouleau de fine corde très forte, et enfin le piolet indispensable à tout géologue.

Paul rejoint ses camarades à l'endroit convenu. À la station d'express du nord, les garçons attendent le passage d'un wagon plus désert que les autres et s'y installent. Comme ils voyagent dans une région isolée, le signal-semonce tolère le bruit de leur conversation animée.

Avec l'exubérance naturelle de leur âge, les savants en herbe se taquinent sur leurs conquêtes récentes à la Spirale. Ils comparent leurs notes en classe. Plusieurs déplorent l'obligation d'étudier des langues mortes comme l'anglais. Tous félicitent Paul pour le concours oratoire du Grand Conseil qu'il a gagné. Paul les fait rire en avouant:

— C'est vrai, j'ai toujours eu la langue bien pendue. Mais souvent ça nuit plus que ça aide!

— Quand passes-tu au Régé?

Le Réseau Général de la radio-vision est mieux connu sous ce sobriquet.

— Ne m'en parlez pas! Je passe la semaine prochaine! De quoi vais-je bien pouvoir parler pour intéresser le public?

— Tout le monde attend ton discours avec impatience.

— Heureusement, j'ai encore une semaine pour y penser. Ce qui ne peut pas attendre, c'est la géologie. Je dois faire oublier mon dernier examen au professeur. Il faut que je trouve un spécimen rare aujourd'hui . . .

CHAPITRE 6

LUC À LA SURFACE

Dès la fin des cours, Luc commence son expédition solitaire. Chaque après-midi, il se rend à l'Air Libre, près de ce monde nouveau qui l'attire tant.

Il est expérimenté maintenant. En moins d'une heure, il se retrouve au bout du tunnel où il a déjà conduit son ami Eric.

Aujourd'hui encore le ciel est terne, mais il ne pleut pas. On aperçoit la forêt, trente mètres plus bas, au pied de la montagne.

Le temps gris rassure le petit garçon. Le soleil ne lance pas ses rayons menaçants, comme pendant ses premières expéditions. Les couleurs sont moins agressives; la brume rend l'horizon moins inquiétant. Bref, un temps idéal pour un jeune citoyen de Surréal!

Luc décide de s'aventurer au-dehors. Quittant la sécurité du tunnel, il fait quelques pas incertains. Mais la pente est abrupte. Des cailloux roulent sous ses pieds. Peu habitué à un terrain accidenté, il perd l'équilibre et roule jusqu'en bas de la pente.

Tout étourdi, il se retrouve au pied de grands arbres aux aiguilles piquantes. Ce sont des sapins. Luc porte la main à sa figure; son masque est intact. Puis il se tâte craintivement; les chutes sont rares sur les pentes douces de Surréal. C'est sûrement la première fois qu'un habitant de la cité souterraine roule au bas d'une colline! Cette innovation le console des émotions de la descente.

Il regarde derrière lui. Là-haut, l'entrée du tunnel bâille sur le côté de la montagne. Il est déjà loin; autant continuer.

Luc se met en route à petits pas prudents. À chaque seconde, une découverte l'arrête. Le chant d'un oiseau le charme, et son vol rapide encore plus. Le grand silence de la nature surprend ses oreilles habituées à un ronronnement continu.

Ses sandales foulent le sol mou de la sapinière. Il touche l'écorce rugueuse d'un arbre, noircit son doigt à la résine luisante. Quel monde extraordinaire!

Soudain, il entend un cri rauque qui le glace d'effroi. Quel terrible danger le menace? Le petit garçon n'est pas habitué aux grands espaces; il ne parvient pas à situer le bruit, pour le fuir.

Comme la protection de sa caverne est loin! S'il périt ici, personne ne le saura jamais!

Pour la première fois, Luc a peur dans son nouveau monde. Il s'adosse à un arbre, pour faire face aux cris qui se rapprochent. Il adresse une prière au Premier Moteur, source toute-puissante et bienfaisante de vie à Surréal. Mais pour la première fois, cette prière lui semble inutile. Comment les gigantesques machines souterraines peuvent-elles l'aider?

Les branches craquent, tout près. Soudain surgit une grande bête poilue. Elle se jette sur le gamin épouvanté et le renverse. Une longue queue menaçante fouette l'air; une langue chaude s'attarde sur ses joues.

Luc ouvre les yeux et redresse la tête. Son agresseur est penché sur lui, le souffle haletant, la langue pendante. Des oreilles soyeuses encadrent une face au long nez noir. Et toujours cette dangereuse queue s'agite.

— N'aie pas peur!

Cette bête peut-elle parler? Luc répond:

— Je n'ai pas peur!

À dix ans, on a de la fierté et on la défend.

— Tes idées tremblaient très fort. Je l'ai senti.

— Alors tu dois aussi sentir que tu ne m'effraies plus.

— Où es-tu? Je ne te vois pas.

— Je suis devant toi! Es-tu aveugle?

Luc a un peu pitié de cette race poilue, à la queue en agitation perpétuelle, qui ne voit pas ce qui est juste devant son long nez. Il continue son enquête:

— Êtes-vous nombreux sur la terre? Où habitez-vous?

Il entend alors un grand éclat de rire juste derrière lui. Il bondit sur ses pieds, prêt à une nouvelle attaque.

Il se trouve devant une étrange jeune fille. Elle a de longs cheveux roux. De la même taille que lui, elle est vêtue de grosse toile brune. Elle a des éclats de rire très harmonieux, mais aussi très moqueurs.

— Tu parlais avec Bark? Il ne devait pas beaucoup te répondre!

Luc, piqué, répond:

— Il a été très poli.

Le chien se range près de la jeune fille. Il lui lèche la main avec dévotion. Elle s'exclame:

— Comme tu es drôle! Tu n'as pas de cheveux, et tu portes un masque. Viens-tu de la Lune?

Luc est un petit garçon bien perplexe en ce moment. Toutes les théories apprises depuis son enfance s'écroulent. Un monde désert et brûlé se révèle habitable. Des animaux parcourent ses forêts verdoyantes, des êtres humains s'y promènent.

Pourtant, Luc ne se sent pas inquiet. Au contraire, il a l'impression étrange de rentrer chez lui après une longue absence.

Mais le ton moqueur de la fillette lui déplaît. Il s'adresse de nouveau, poliment, à son auditeur à quatre pattes.

— Êtes-vous de la famille des loups, comme l'agresseur du Petit Chaperon Rouge?

La jeune fille rit de plus belle.

— Il ne te répondra pas, voyons! C'est mon chien Bark.

Le chien lance un bref aboiement. Luc est troublé:

— Pourtant, nous avons très bien parlé, avant ton arrivée!

— Mais non, c'est moi qui communiquais avec toi. Nous échangions nos idées par télépathie.

Luc, enfant de l'âge ultra-moderne, est tout de suite intéressé.

— Montre-moi cet appareil de télé . . . pat . . .

— Il n'y a pas d'appareil! Mes idées se transmettent à ton cerveau, les tiennes me répondent. Tu dois le savoir, puisque tu es télépathe . . . et très bon, à part ça! Tu communiques clairement, même à distance.

Luc est fier d'apprendre cela. La petite fille s'assoit sur le sol, près de lui, et prononce quelques mots à voix haute.

— D'ailleurs, nous ne parlons pas la même langue.

Luc s'en rend compte soudain.

— Mais oui, quels sons étranges sortent de ta bouche! Cela ressemble aux langues mortes que mon frère Paul étudie.

— Ta langue aussi est étrange! Heureusement, grâce au phénomène de la télépathie, nous pouvons quand même nous comprendre.

En effet, les deux enfants, assis l'un près de l'autre, causent comme des amis de toujours.

— Je me nomme Agatha. Et toi?

— Luc 15P9. Et j'habite Surréal, sous la montagne.

— Moi, je demeure derrière la montagne, au bord du fleuve. Notre tribu habite Laurania.

Curieuse, Agatha ajoute:

— Pourquoi portes-tu un masque, Luc? Et que fais-tu dans ce bois? Je viens souvent par ici. Bark et moi, nous ne t'avons jamais vu avant.

— C'est la première fois que je descends la pente.

Luc ne veut pas avouer de quelle manière il s'y est pris. Et il n'ose pas dire qu'il garde son masque à cause de la pollution de l'air. Il ne veut pas blesser sa nouvelle amie avec une telle remarque. Il explique:

— Je suis habitué à l'air synthétique. Et toi, que fais-tu si loin de chez toi?

— Mon père et mon frère chassent, et moi je cueille des bleuets.

Agatha montre à Luc un seau rempli de sphères bleues.

— En veux-tu?

Poliment, Luc en prend une. Soulevant un instant son masque, il l'avale toute ronde comme une pilule.

— Allons, le presse la jeune fille, prends-en plus que ça!

— Non merci! Il ne faut jamais prendre plus d'une capsule à la fois.

Agatha hausse les épaules. Elle puise une pleine poignée dans son seau. Bientôt ses lèvres sont teintées de bleu. Luc demande:

— Tu trouves ces capsules toutes prêtes? Voilà de quoi ravir le Service de Diététique!

Il ajoute:

— Est-ce tout ce que vous mangez?

— Ah non! Nous mangeons le gibier que nous chassons, le poisson du fleuve, et aussi du pain.

— Du pain? Qu'est-ce que c'est?

Agatha en sort un morceau de sa poche. Elle le partage en deux et en tend la moitié à Luc. Le garçon examine la croûte sèche et la mie blanche et tendre. Agatha mord à belles dents.

— C'est mon goûter.

Luc n'a jamais vu quelqu'un manger autant. Il craint pour la santé de son amie. Mais, explorateur en tout, il se risque à grignoter la pâte rustique.

— Avec quoi est-ce fait?

— Avec de la farine.

— De la farine? Cela vient d'où?

— Nigaud! Du blé. Mais tu ne connais donc rien?

Le pauvre ignorant baisse la tête. Pourtant, il connaît bien plus de choses que la petite primitive ne peut imaginer. Pour cacher sa confusion, il se lance dans une nouvelle enquête.

— Est-ce un chapeau, cette fourrure-là?

La fillette porte la main à sa tête, comme pour vérifier.

— Mais non! Je suis nu-tête.

Luc recourt à son histoire de l'antiquité.

— Alors ce doit être du poil, comme nos ancêtres en portaient.

— Tu n'es pas gêné! Ce sont des cheveux.

Coquettement, Agatha agite ses magnifiques cheveux roux. Luc doit admettre que ce curieux panache est bien joli.

— Et ... tu n'enlèves jamais ces cheveux, même pour dormir?

Elle rit de bon coeur.

— Jamais, même en été.

— Ça doit être chaud!

— Pas plus que ton masque!

Agatha demande à Luc de lui expliquer comment son peuple vit sous la terre. En retour, elle lui décrit la vie de sa tribu. Les deux enfants, unis par une amitié instinctive, acceptent les idées les plus saugrenues avec la facilité propre à leur âge.

La barrière des langues n'est pas complètement franchie par la télépathie. Luc a de la difficulté à faire comprendre les termes techniques et la science de Surréal. Et il comprend mal certains phénomènes de la nature décrits par Agatha.

Luc raconte les origines de son peuple, la Grande Destruction, les réfugiés de la montagne et la création laborieuse de la cité souterraine.

La petite fille ne peut fournir autant de précisions. La tradition orale de Laurania parle d'un déluge de feu, suivi d'une terrible épidémie de peste. Les survivants se sont regroupés en tribus pour survivre.

Agatha, enfant de la nature, ne comprend pas la résignation des habitants souterrains.

— Vous n'avez jamais essayé de retourner à l'air libre?

— Le Grand Conseil de Surréal interdit les sorties. D'après lui, la Grande Destruction a empoisonné l'air pour des milliers d'années encore.

— Pourtant, Luc, toi, tu es sorti!

— Oui, j'ai trouvé une fissure . . . et je me sentais attiré depuis longtemps.

— C'est peut-être moi qui t'appelais. Je venais souvent ici avec Bark, et je souhaitais tellement avoir un ami! Depuis la mort de ma mère, je me sens bien seule quand mon père et mon frère sont à la chasse, comme maintenant . . .

À ce moment, la montre-radio de Luc émet un bourdonnement discret. C'est Paul qui désire communiquer avec son frère. Luc porte la montre à son oreille. Le message lui arrive, très affaibli:

— Rentre, si tu veux être à la maison avant le coupe-jour!

Luc presse deux fois le minuscule bouton émetteur, pour signaler qu'il a compris. Cela lui évite d'avoir à parler à son aîné.

Agatha s'étonne:

— Quel étrange bracelet qui parle! Qu'a-t-il dit?

— Mon frère m'a conseillé de revenir à la maison. Tu n'as pas entendu?

— J'ai bien entendu, mais il parlait dans une langue étrangère.

— La même que moi, pourtant!

— Alors ton frère n'est pas télépathe.

— Comment, tout le monde ne l'est pas?

La fillette pouffe de rire devant la naïveté de Luc.

— Mais non, évidemment! Seulement quelques personnes ont ce don. Il est très rare!

Au loin, un cor résonne dans la forêt. Bark répond par un aboiement sonore. La fillette se lève d'un bond.

— Voilà les chasseurs qui rentrent. Je dois les rejoindre. Luc, peux-tu revenir demain?

— J'essaierai.

— Tu me le promets?

— Promis, Agatha.

— À demain alors!

Pour sceller ce pacte, la petite Lauranienne serre la main de son ami de Surréal. Chacun reprend ensuite le chemin de son foyer, emportant le secret d'une amitié toute neuve.

À quatre pattes, Luc escalade péniblement les pierres arrondies qui le séparent du tunnel sombre mais hospitalier. Son casque-lumière l'attend près de l'entrée. Au moment de le saisir, Luc constate qu'il tient encore à la main une de ces pierres, ronde et rouge. Au lieu de la rejeter, il la glisse dans son tube d'urgence, en se disant:

— Cela réglera peut-être le problème de géologie de Paul!

Le petit frère charitable est loin de prévoir que ce simple geste aura des conséquences dramatiques.

CHAPITRE 7

BERNARD À LA CENTRALE

Une dizaine d'ingénieurs attendent Bernard à la Centrale. Ils discutent en petits groupes. À l'arrivée de Bernard, tous se taisent et se tournent vers lui.

Le petit garçon craint d'avoir interrompu une discussion importante. Mais son père le rassure aussitôt.

— Bienvenue, Bernard! Nous t'attendions!

Bernard est flatté. Ainsi, tous ces hommes occupés se sont rassemblés pour l'attendre? Il ne croyait pas sa mission si importante! Au début, son travail ressemblait à un jeu amusant. Mais maintenant, ces ingénieurs placent leur confiance en lui, et cela devient sérieux.

Bernard a souvent visité la Centrale. Il connaît tous les hommes présents; il les a suivis et leur a posé des questions. Son ambition est de comprendre et plus tard de contrôler les puissantes machines qui font vivre Surréal. Les explications compliquées, les démonstrations abstraites ne lui font pas peur.

Il admire et envie ces hommes. Eux, de leur côté,

éprouvent une chaude affection pour ce gamin. Malgré toutes ses étourderies, Bernard est débrouillard et loyal.

Son père lui tend une combinaison isolante qu'il enfile aussitôt. Le casque-lumière sur la tête et son masque à la main, le voilà prêt pour une autre excursion dans les tuyaux.

Bernard s'approche d'un plan en relief, très détaillé. C'est un vrai labyrinthe de conduits qui se croisent et s'entrecroisent. Au centre, se trouve le bloc scellé du Premier Moteur, coeur même de la Cité.

Le Premier Moteur produit toute l'électricité de Surréal. Sa source d'énergie inépuisable lui vient des forces du centre de la terre. S'il tombe en panne, la Cité est perdue. Rien ne peut remplacer le Premier Moteur. L'ingénieur en chef explique à Bernard:

— Heureusement, la productivité du Premier Moteur n'a pas diminué. Ce n'est pas à la source que l'énergie disparaît. Le courant se perd par des fuites encore inconnues. Si ces fuites continuent ou augmentent, nous devrons fermer plusieurs usines, rationner l'électricité et réduire les heures de service de l'express.

L'ingénieur en chef s'adresse à ses collègues:

— J'ai étudié tous vos rapports, messieurs, et les relevés des détecteurs-robots. Cela me permet d'écarter les sections Sud et Est. Les fuites ont lieu dans la section Nord ou dans la partie Ouest. Aujourd'hui, Bernard va explorer cette dernière section.

À ce moment, un messager présente à l'ingénieur le dernier rapport du Cerveau électronique de la Centrale.

— Messieurs, le courant a encore diminué depuis hier, d'une manière légère, mais nette. Il faut agir vite.

Le chef pose sa main sur l'épaule de Bernard.

— Tu es notre dernier espoir. À toi de trouver quelque chose!

Le petit garçon se redresse, trop ému pour parler. On lui indique sur la carte la marche à suivre. On ajuste à son poignet un bracelet-indicateur; il signalera aussitôt la plus petite fuite d'électricité ou de radiation.

L'opérateur du radar s'installe à son poste. Il plaisante avec Bernard pour le rassurer:

— N'essaie pas de te sauver, mon vieux! Je ne te perdrai pas de vue un instant.

Le spécialiste en radio vérifie avec lui le fonctionnement du poste émetteur-récepteur. Cet appareil minuscule est installé dans le masque de Bernard; c'est le moment de revêtir ce masque. Des capsules d'air assurent six heures d'oxygène. Dans sa poche, le garçon a des réserves pour quatre heures supplémentaires.

— Test: un, deux, trois!

La voix de Bernard sonne étouffée dans le masque. Un jeune technicien l'écoute, à l'intérieur d'une cabine vitrée. Il suivra Bernard par radio et enregistrera ses commentaires.

— Réception parfaite! Et de ton côté, tu me reçois? Test: un, deux, trois!

— Ta conversation n'est pas très originale! dit le gamin pour le taquiner.

— Je dois encore ajuster le son. Dis quelque chose d'original, toi! Et sois éloquent!

Le technicien tourne une clé: les remarques du garçon au cours de ses recherches seront entendues par tous. La voix de Bernard résonne dans le haut-parleur de la grande salle.

— J'ai la tête vide. Tu me donnes le trac!

Tout le monde rit, heureux de cette détente. Georges 6B12 est ému et réussit mal à le cacher. Il serre la main de son fils. Mieux que les autres, il devine l'effort que doit faire Bernard pour plonger dans ces conduits étroits et sans air. De nombreux dangers inconnus le menacent, malgré toutes les précautions: électrocution, radioactivité, ou quoi encore de plus mystérieux?

C'est le sixième jour d'exploration du petit garçon. Pour la première fois, il éprouve une sensation d'angoisse et de responsabilité. Il connaît maintenant l'importance vitale de sa mission. Il ne part plus pour la belle aventure avec insouciance.

Aujourd'hui, la partie de plaisir a le goût amer de la réalité. Devant tous ces spectateurs, c'est facile de blaguer. Mais bientôt, Bernard va se retrouver seul dans les tuyaux. C'est alors qu'il connaîtra la vraie mesure de son courage. Il a un peu peur: saura-t-il faire honneur à son père et justifier la confiance des ingénieurs?

Dans le mur, six portes rondes ferment les orifices des six conduits principaux. Épaisses comme des parois de coffre-fort, elles assurent une fermeture hermétique et empêchent la poussière de pénétrer.

La porte 5 glisse silencieusement. Bernard plonge son regard dans le tuyau argenté, parfaitement rond, qui s'étend à perte de vue. Un câble isolant, gros comme le bras, court le long de sa partie supérieure. C'est là qu'il faut chercher la défectuosité.

Un dernier salut, et Bernard s'introduit à plat ventre dans l'étroit tuyau. On lui glisse un sac contenant son matériel d'exploration. Il le fixe à une boucle de sa ceinture et se met aussitôt en route. Il avance rapidement, à quatre pattes, la tête penchée.

Dix mètres plus loin, il tourne à gauche et s'engage dans un couloir à angle droit. C'est l'obscurité complète. Bernard a laissé derrière lui le monde des hommes. Il n'a que son casque-lumière pour se protéger des ténèbres.

La première partie du trajet lui est familière. Il est déjà passé ici, et il retrouve ses indications à la craie.

Le silence est écrasant. Impossible de faire demi-tour dans ce conduit étroit. Le garçon s'arrête un instant pour dominer la panique qui le menace. À chaque expédition, il passe ainsi une minute affreuse. Mais Bernard est un gars courageux et, froidement, il se raisonne.

Comme chaque fois, l'esprit d'aventure prend le dessus. Bernard regarde au-dessus de lui, le câble porteur de mort. Trouvera-t-il quelque chose d'anormal? Au prochain tournant, peut-être? Saura-t-il le reconnaître?

Calmé maintenant, il reprend sa route.

— Allô, Centrale! Voici ma dernière flèche, vers la droite. Je continue pour entrer dans la section 53. Rien à signaler.

Un quart d'heure plus tard, il annonce:

— Changement de niveau!

Georges 6B12 retient son souffle. Tous les ingénieurs sont nerveux. Changer de niveau est l'étape la plus dangereuse. Bernard ne doit surtout pas tomber de l'échelle en montant ou descendant les étages. Comment lui porter secours s'il se casse une jambe? Il est complètement hors d'atteinte dans ces couloirs!

— Voilà, je descends le conduit vertical. Il est profond d'une dizaine de mètres. Voici le niveau 4. Je m'engage à l'intérieur de la galerie . . . Ça y est! Tout va bien.

À la Centrale, on pousse un soupir de soulagement.

Toujours à quatre pattes, Bernard poursuit sa difficile randonnée. Il surveille le câble du plafond et marque son passage à la craie. Son bracelet-indicateur ne lui signale toujours pas la moindre fuite.

Sa combinaison isolante protège ses genoux et son dos. Par contre, ses mains sont nues, pour percevoir immédiatement tout changement dans la température du métal.

Régulièrement, il continue son rapport monotone.

— Section 55. Rien à signaler . . . Section 57. Ici, dois-je tourner à gauche ou continuer? J'attends vos instructions.

Son père le guide au microphone:

— Ligne droite pendant encore dix mètres, puis tu tournes à droite.

Les heures passent, interminables. Bernard glisse rapidement, sous son masque, une capsule-repas. Trois petits globes éclatent sous ses dents avec une sensation de fraîcheur et le désaltèrent.

— Bernard, écoute bien. Ici l'ingénieur en chef! Dans quelques minutes tu trouveras une intersection: tu tourneras à droite pour revenir à la Centrale. Ce sera bien suffisant pour aujourd'hui.

Les ingénieurs hochent la tête. Ils assistent, impuissants, aux efforts du petit garçon, en fumant des cigarettes-éterna. La fumée dense trahit la tension nerveuse qui règne.

La voix de Bernard leur parvient, affaiblie par la fatigue et la distance.

— Je viens de renouveler mes capsules d'air. Je peux continuer pendant une heure ou deux encore.

Une brève consultation a lieu. Le médecin exécute une lecture rapide des instruments reliés à la combinaison isolante de Bernard. Les battements de coeur du jeune explorateur sont réguliers, sa pression sanguine est normale. Il déclare:

— Il est robuste et a les nerfs solides. Laissons-le continuer.

Les rapports continuent donc à arriver fidèlement.

— Section 67. Rien à signaler . . . Section 72. Je tourne à gauche.

— Section 85 . . . Toujours rien . . . 87 . . . 89. Je tourne à droite. Le tube semble très long. Tout est normal.

L'ingénieur en chef passe le micro à Georges 6B12. Ce poste de commande demande beaucoup d'attention. Il faut se relayer souvent.

Soudain, un cri de douleur les fait bondir. Monsieur 6B12, le coeur battant, crie dans le micro:

— Que se passe-t-il, Bernard? Parle!

Une voix haletante lui répond.

— Je me suis coupé! Ce n'est rien. Un éclat de métal, je crois.

Chacun regarde son voisin. Un éclat de métal dans ces conduits absolument lisses? Le médecin de la Centrale s'empare du micro.

— Où t'es-tu coupé, Bernard? Saignes-tu beaucoup? Réponds vite!

La réponse se fait un peu attendre. Georges 6B12 croit mourir dix fois. Son fils s'est-il évanoui? Est-il inanimé dans ces couloirs où on ne peut le secourir?

— C'est ma main droite. Près du pouce. Il y a beaucoup de sang!

À sa voix étonnée, on devine que le blessé est très impressionné.

Le médecin parle avec autorité:

— Dans ta poche droite, tu as un nécessaire de secours. Ouvre-le avec ta main gauche. Il y a un tube vert qui contient de l'onguent. Mets-en sur la plaie. Tu ne sentiras plus la douleur et le sang va se coaguler. Me suis-tu?

— Oui, j'ai le tube. Je salis toute ma combinaison avec ce sang! Est-ce que ça se lave?

Un sourire de soulagement détend les auditeurs. Bernard n'est pas mourant, s'il se préoccupe de tels détails!

— Voilà, j'ai mis l'onguent. Ouf, j'aime mieux ça! Je ne sens plus ma main.

L'ingénieur en chef a, le premier, retrouvé son calme. Il reprend délicatement le micro que le médecin serre encore entre ses doigts contractés.

— Bernard, regarde bien autour de toi. Décris-moi l'éclat de métal qui t'a blessé.

— Bien, chef. C'est un morceau d'acier tordu qui sort de la paroi à droite. Oh!...

Tout le monde sursaute à la nouvelle exclamation du garçon.

— Chef! Papa! Le câble! Le câble!

Le pauvre petit semble incapable d'en dire davantage. Un gémissement de peur lui échappe.

Son père bondit sur le micro.

— Bernard! Je suis là. N'aie pas peur. Dis-moi ce que tu vois!

La réponse leur parvient dans un souffle.

— Papa, le câble a été sectionné et un nouveau fil y est branché. Ce fil perce le tuyau à la hauteur du plafond. Il semble s'enfoncer dans la paroi du conduit.

L'ingénieur en chef prend le micro.

— Bernard, sois calme. Tu as trouvé notre fuite. C'est magnifique! Maintenant, regarde autour de toi et décris-nous tout ce qui te semble anormal.

D'une petite voix lointaine, l'enfant courageux reprend son rapport.

— Lorsque je touche le mur, là où le fil disparaît, il me semble plus froid. Et il rend un son creux. Je crois qu'il y a un vide derrière. On a découpé un carré dans le conduit, puis on l'a ressoudé! Il y a plusieurs éclats qui dépassent.

— Est-ce que ton bracelet-indicateur s'est allumé? Y a-t-il une fuite?

— Non, monsieur. Seulement un raccordement branché au câble. Ça semble être du bon travail.

Les ingénieurs échangent un regard amusé devant cette opinion d'un expert. Sur un signe du médecin, Georges 6B12 reprend la parole.

— Reviens maintenant, Bernard. Tu en as assez fait pour aujourd'hui! Nous t'attendons.

Une heure plus tard, on retire de l'orifice 5 un petit gars ensanglanté, et à demi évanoui d'émotion et de fatigue. Les ingénieurs, émus, pleurent sans honte.

Et c'est dans les bras de son père que Bernard arrive à sa demeure, profondément endormi. Le médecin de la Centrale lui a fait une piqûre calmante. Sa main droite est enveloppée d'un superbe bandage.

Il ne s'aperçoit même pas que sa mère le borde. Elle couvre de baisers sa figure pâle, mais souriante, de héros victorieux.

CHAPITRE 8

PAUL AU LAC NOIR

Paul arrive avec ses camarades au terminus-nord de l'express. L'endroit est presque désert en ce jour de semaine. Le groupe se divise en deux.

Plusieurs s'engagent vers la droite dans un couloir descendant. Ils vont jouer à cache-cache dans les stalagmites et stalactites des cavernes calcaires. Ensuite ils prendront un bain dans les sources chaudes qui jaillissent de ce côté.

Paul et deux de ses confrères préfèrent le lac Noir, avec ses eaux glaciales et ses grottes mystérieuses.

Les trois étudiants bavardent en marchant dans une galerie interminable. À l'origine, c'était un couloir étroit où on devait ramper. On l'a élargi et éclairé très discrètement. Les voix amplifiées résonnent bruyamment dans ce tunnel percé à même le roc.

On a découvert les cavernes deux cents ans plus tôt. Ces magnifiques sites naturels s'enfoncent à des profondeurs incroyables. La spéléologie est devenue le sport national. Chaque habitant de Surréal s'y met dès son plus jeune âge et la géologie ne doit pas avoir de secrets pour lui.

L'ingéniosité et la nécessité contribuent à trouver un emploi pratique pour chaque nouveau minerai. Tous les matériaux utilisés dans Surréal dépendent des dépôts miniers. La découverte d'une nappe iné-puisable de pétrole a permis la fabrication de tous les tissus et la production des protéines et vitamines con-tenues dans les aliments synthétiques. À Surréal, on tire de la terre toutes ses ressources.

Les trois camarades débouchent dans un vestibule rocheux. Un oeil magique est habilement dissimulé dans la paroi; il enregistre les ondes de leurs bracelets-matricules. Au retour, l'instrument annulera leur fiche. Les gardiens des cavernes peuvent facilement constater une absence prolongée. Grâce à ce système, on peut secourir sans délai les excursionnistes perdus dans les grottes ou les spéléologues en détresse au fond des gouffres.

Les trois garçons émergent enfin dans l'immense caverne du lac Noir. Ils sont muets d'admiration de-vant ce spectacle, pourtant familier depuis leur enfance.

Les dimensions de la grotte troublent toujours ces habitués des espaces clos. Des milliers de stalactites pendent au plafond de la voûte, élevée comme celle d'une cathédrale.

Au centre du lac Noir, une gigantesque colonne de pierre rejoint la voûte et semble la soutenir. Tout au-tour, la surface sombre du lac est polie comme un miroir. À travers les eaux limpides et profondes, on devine le fond d'un noir d'encre.

Ce palais des mille et une nuits est éclairé par des rayons solaires artificiels, habilement dissimulés. Les murailles sont des falaises blanches ornées de cristaux scintillants.

Les Surréalais viennent chercher détente et repos dans ce paysage enchanteur. Par un phénomène acoustique, les sons s'étouffent dans cette grotte immense. Le silence y règne toujours, même quand les visiteurs sont nombreux.

Le sol de la caverne est recouvert d'un sable rosé très fin; il descend en pente douce jusqu'au lac. La plage est presque déserte aujourd'hui.

Deux gardiens de natation patrouillent en maillot de bain. Leur présence n'est pas tellement nécessaire, car tous les enfants de la Cité apprennent très tôt à nager dans les piscines publiques.

Paul et ses amis déposent leurs sacs sur le sable et enlèvent leurs tuniques. Vêtus d'un maillot blanc, ils courent vers le lac. Ils plongent l'un après l'autre, fendant l'eau comme des couteaux sans la faire jaillir.

Les trois garçons font une course aller-retour jusqu'à la colonne géante du centre. Puis ils se jettent sur le sable chaud. Les minutes s'écoulent, paresseuses. Confortablement couchés sur la plage, la tête vide, ils se font bronzer au soleil artificiel.

Soudain, l'un des amis saute sur ses pieds:

— Assez dormi, on y va!

Le second clame:

— À la grotte des Quartz!

Il se lève et ramasse son sac. Paul, stupéfait, leur demande:

— Comment, vous n'allez pas plus loin?

— Certainement pas! J'en ai pour l'après-midi à photographier mes vingt formations de cristaux pour l'examen du trimestre.

— Et moi, je dois compléter ma collection de coraux pour demain.

Paul n'avait pas prévu cela.

— Je comptais sur vous pour chercher un échantillon rare en géologie! Comment vais-je faire, seul?

— Désolé, Paul, j'ai d'autres projets.

— Moi aussi. Au revoir!

Les deux garçons s'éloignent.

Spéléologue de classe "intermédiaire", Paul n'a droit à aucune exploration solitaire. Seul un spéléologue de classe "senior" peut s'aventurer seul dans les grottes.

— Le professeur va être furieux! Je n'aurai pas d'échantillon rare aujourd'hui. Tant pis, je reviendrai un autre jour! En attendant, je vais commencer à préparer mon discours pour le Réseau Général de la radio-vision. Le grand jour approche rapidement, et je n'ai rien trouvé d'intéressant encore . . .

Le jeune orateur cherche son inspiration dans les eaux froides du lac Noir. Il atteint la grande colonne et s'assoit au bord du rocher. Il prépare mentalement des phrases éloquentes, avec de grands gestes.

Soudain, quelqu'un bondit dans son dos et plonge dans l'eau. Saisi, Paul perd l'équilibre et se retrouve trois mètres sous l'eau, l'inspiration et le souffle coupés.

Il voit une ombre disparaître dans le tunnel sous-marin qui perce l'énorme stalactite. Ce boyau naturel est appelé le "Trou de Longue Haleine"; seuls les nageurs experts osent s'y risquer.

Paul, furieux, remonte à la surface. Il nage autour de la colonne de pierre pour découvrir son agresseur. Il guette la sortie du tunnel sous-marin. Seul un gamin aux yeux bleus flotte paresseusement près de là. Que fait le nageur téméraire? Est-il en train de se noyer dans le Trou de Longue Haleine?

Paul plonge pour observer le trou sombre. Il ne voit rien et n'ose pas s'aventurer dans le tunnel. Émergeant à la surface, il se retrouve nez à nez avec un des gardiens, qui l'interroge aussitôt:

— J'ai vu deux personnes plonger. Où est l'autre nageur?

— Je ne sais pas. Je le cherche moi aussi!

Le gamin aux yeux bleus s'approche, très intéressé.

— Vous cherchez quelqu'un?

— Oui, celui qui vient de plonger dans le Trou de Longue Haleine.

— C'est moi, avoue candidement le coupable.

73

— Toi? fait Paul, incrédule.

— Mais oui, je passe souvent dans le tunnel avec mon père.

Le gardien n'apprécie pas la plaisanterie.

— Eh bien, tu n'es pas avec ton père aujourd'hui, et je suis responsable des baigneurs. Je te conseille de ne plus recommencer ce petit jeu sans être accompagné! Mon coeur ne le supportera pas deux fois.

Eric est assez satisfait du résultat de son exhibition. Il promet:

— Entendu, je ne le ferai plus.

Le gardien s'éloigne à grandes brassées. Les deux garçons escaladent le rocher et s'installent sur le rebord. Paul déclare:

— Tu m'as fait peur, et deux fois en cinq minutes. C'est un record!

— Deux fois?

— Quand tu m'as jeté à l'eau avec ton saut de la mort, et quand je te pensais noyé.

— Moi, je t'ai jeté à l'eau? Oh! excuse-moi, Paul! Je voulais seulement t'impressionner.

— Eh bien, c'est réussi! Tu es vraiment fort pour ton âge! Je n'ai pas encore osé traverser le Trou de Longue Haleine.

— Papa a découvert que j'ai beaucoup de souffle.

— Dis donc, tu connais mon nom?

— Tout le monde te connaît au collège! Tu es capitaine au ballon-robot et champion oratoire.

Eric décline ces titres avec un respect flatteur. Malheureusement, il gâte son effet en ajoutant:

— De plus, tu es le frère de Luc, mon meilleur ami . . . Je m'appelle Eric 6B12. Je suis le frère de Bernard, qui joue avec tes Rouges.

— Ah, Bernard! Je ne te félicite pas! Il a des goûts barbares pour les douches glacées et l'air brûlant.

— Toi aussi, tu y as goûté?

Cette épreuve commune rapproche les deux garçons, malgré leur différence d'âge. Paul s'étonne:

— Tu es venu seul?

— Non, maman lit sur la plage. Elle m'emmène souvent ici, ses jours de congé.

Soudain, Paul a une idée lumineuse.

— Écoute, Eric, je t'invite à m'accompagner dans une expédition de spéléologie. Il reste quelques heures avant le coupe-jour. Je dois trouver un échantillon rare. Veux-tu m'aider?

Eric accepte avec empressement. Un peu inquiet, Paul demande:

— Crois-tu que ta mère le permettra?

— J'en suis sûr! Allons la voir.

Les deux garçons plongent et nagent vers la berge. Madame 6B12 s'y repose, pas du tout inquiète de son poisson de fils.

Eric présente Paul à sa mère. Elle apprécie immédiatement le sérieux et la courtoisie du garçon. Mais elle a quelques objections à formuler.

— Eric n'a pas d'équipement de spéléologie.

— On en empruntera un à la station d'enregistrement, à l'entrée des grottes profondes. Le surveillant est un bon ami.

— Est-ce qu'il n'est pas un peu tard?

— L'expédition ne sera pas très longue. Je sais exactement ce que je cherche et où le trouver. Je suis classé "intermédiaire" en spéléologie; Eric est seulement "novice", mais je suis qualifié pour l'entraîner.

Madame 6B12 capitule de bonne grâce. Elle recommande à Paul:

— Prenez bien soin de mon petit garçon! Je vous le confie. Moi, je vais en profiter pour faire des recherches à l'audiothèque. Ramenez-le à la maison pour le repas du soir. Et toi, Eric, n'oublie pas ton sac de classe. Je le laisse ici avec ta tunique. Ne faites pas d'imprudence, tous les deux!

Comme toutes les femmes de Surréal, elle a souvent participé à des escalades souterraines. Cette perspective ne lui inspire pas des inquiétudes de mère-poule.

CHAPITRE 9

ERIC ET PAUL, SPÉLÉOLOGUES

Paul et Eric descendent vers les entrailles de la terre, dans une galerie en pente raide. Paul ouvre la marche, chargé de son lourd sac. Eric le suit, d'un pas moins sûr mais décidé. Il porte un léger canot pneumatique gonflable. L'ami-surveillant de Paul leur a aussi prêté deux avirons en bois et une combinaison imperméable pour Eric.

Ils progressent rapidement, suivant un itinéraire que Paul connaît bien. Ils contournent une crevasse vertigineuse. Paul indique le fond du gouffre:

— Tu entends ce mugissement? Il y a un torrent souterrain tout en bas. Quand je fais des excursions avec mon père et Luc, cette crevasse est toujours notre point de départ.

Le docteur 15P9 emmène souvent ses deux fils dans des expéditions de camping à travers les dédales souterrains. Paul et Luc ont appris à manoeuvrer les bateaux à fond plat qui servent à cette étrange navigation. Ces longues randonnées rapprochent beaucoup le père et ses deux fils. Ils aiment explorer le monde féerique des cavernes.

Des rivières noires glissent sans bruit entre les parois. Quelques lampes éclairent le passage ici et là. Parfois les frêles embarcations sont emportées par un courant rapide. Une croix blanche sur la paroi signale les dangers d'un torrent. Ces croix sont la seule preuve du passage de l'homme dans ces abîmes obscurs.

Il n'existe aucune carte officielle. Ainsi, chacun peut se croire un découvreur. Les randonnées répétées depuis des générations gardent leur imprévu. On retrouve son chemin avec une boussole et un altimètre.

Paul et Eric débouchent brusquement dans la Prairie Fantôme. Paul, familier de l'endroit, écoute les exclamations de son jeune ami avec amusement.

Ils sont dans une longue grotte au sol couvert d'une incroyable végétation. Chaque brin d'herbe est blanc, translucide. Un courant d'air fait frissonner ces pousses décolorées. Un petit ruisseau gazouille dans ce paysage champêtre où aucun oiseau n'a jamais chanté.

— Paul, d'où viennent ces plantes?

— De la surface! Depuis des siècles, les torrents charrient des débris de gazon et de racines; ils ont germé ici.

— Mais ma préhistoire décrit seulement des plantes vertes!

— Elles étaient vertes à l'origine. Mais elles ont poussé dans l'obscurité. C'est le soleil qui donne la chlorophylle aux plantes.

— Si elles viennent de l'extérieur, ne sont-elles pas dangereuses?

Eric partage la méfiance innée de sa race pour tout ce qui a respiré l'air empoisonné.

— Tu penses bien qu'on a vérifié! Mais non, ces plantes ne présentent aucun danger.

Tout en parlant, les deux garçons se sont engagés dans un passage étroit. Le plafond de plus en plus bas les force bientôt à ramper. Ils poussent devant eux le sac et le canot.

Ils avancent dans une argile molle. Eric n'aime pas le contact humide de la glaise. Il n'ose pas le dire, mais il n'est pas très rassuré. Paul le guide, mais il ne voit plus que ses semelles. Soudain, elles disparaissent.

— Paul! Es-tu là?

Il l'imagine déjà mort, tombé dans un abîme sans fond! Mais il a trop d'imagination. Une voix étouffée l'appelle:

— Tu me suis, oui ou non?

La lampe du disparu surgit juste devant le nez du petit garçon. Elle flotte au-dessus d'un corps invisible. Eric l'éclaire et pousse un cri.

Est-ce là Paul, ces deux yeux blancs dans un visage noir?

Son guide est maintenant un bonhomme de glaise! Il a plongé, la tête la première dans un fossé sans prévenir son ami. Il rit de toutes ses dents blanches.

— Allons, suis-moi! Dans une minute, tu ne seras pas plus beau.

Hésitant, le petit garçon glisse à son tour sur la pente raide. Il atterrit rudement le nez dans la boue. D'une main ferme, son guide impitoyable le remet sur pied. Il dirige sa lampe vers un trou qui s'ouvre dans le sol. On entend le glougloutement d'un cours d'eau.

— Ici, je vais te descendre avec une corde. Je te lancerai le canot. Tu le gonfleras en tirant sur cet anneau. Pendant ce temps, je descendrai avec le sac. Nous laisserons la corde en place pour notre retour.

Tout en parlant, Paul a tiré de son sac un rouleau de corde lisse. En un tournemain, il la fixe à une colonne stalagmite. Il fait une boucle au bout et la lance au bord de la cavité sombre. Eric n'ose même pas s'en approcher.

Paul est habitué aux hardiesses de son jeune frère Luc. Il ne remarque pas les hésitations de son invité. Eric a un orgueil aussi fort que son imagination, ce qui complique toujours sa vie.

Va-t-il s'écraser au fond de ce gouffre? Mais s'il recule, quelle honte! Paul compte sur lui!

Le petit garçon décide de ne pas montrer sa peur. Agrippé à la corde, il prend à peine le temps de placer son pied dans la boucle. Les yeux fermés, il se lance dans le vide.

Paul, solidement appuyé contre un rocher, laisse filer le câble entre ses doigts experts. Il est un peu surpris par la rapidité de la manoeuvre.

— Eh bien, tu n'as peur de rien, toi! Tu y vas vite!

Eric, plus mort que vif, touche le sol cinq mètres plus bas. Il se retrouve les pieds dans l'eau, somme toute assez fier de lui.

Paul amarre la corde au rocher pour descendre à son tour.

— Attention, Eric, je t'envoie le canot. Gonfle-le et mets-le à l'eau! J'arrive!

Il lance le canot pneumatique. Eric, peu habile, le reçoit sur la tête. Les chevilles dans le courant glacé, le petit garçon réussit à gonfler la frêle embarcation de caoutchouc. Il s'y assoit avec soulagement.

Paul glisse comme un singe le long du câble, son lourd sac sur le dos. Il s'installe avec Eric dans le canot. Il lui passe une rame. Le petit garçon ne sait trop quoi en faire. Il se demande de plus en plus s'il aime la spéléologie.

Paul pousse l'embarcation dans le courant rapide. Ils traversent bientôt des cavernes submergées où les stalactites rejoignent les stalagmites pour former des colonnes de cathédrale.

La nouveauté de l'expérience éveille l'esprit curieux d'Eric. Cette navigation dans les enfers se révèle pleine de charme. Le bruit d'une cascade s'amplifie sous la voûte basse. Son mugissement se rapproche. Un arc-en-ciel de gouttelettes danse dans les rayons de lumière.

— Attention!

Paul s'époumonne et gesticule derrière Eric, qui n'entend rien dans ce bruit de tonnerre. Avant de comprendre ce qui arrive, le jeune garçon se trouve écrasé sous le poids d'un torrent glacé. Oppressé, les épaules courbées sous la trombe, il a l'impression qu'il ne respirera plus jamais. Il se retrouve enfin de l'autre côté du rideau liquide.

Pendant qu'il reprend son souffle, Paul continue de diriger l'embarcation. Il la conduit délibérément vers une ouverture sombre sous la voûte basse. Le silence de ce nouveau tunnel remplace bientôt le tonnerre de la cascade. Paul en profite pour expliquer:

— Excuse-moi, Eric, j'ai oublié de te prévenir! Notre chemin passait sous cette chute.

Devant la mine déconfite du gamin, il ne peut s'empêcher de rire.

— Je te devais bien ça, pour ton plongeon traître au lac Noir!

— En tout cas, nous voilà lavés!

Eric est sans rancune. Leur combinaison imperméable les garde au sec. Paul déclare:

— Nous voilà arrivés!

Il amarre le canot sur une petite plage. Les deux garçons prennent pied à terre.

— Tu vois cette ouverture, Eric? Il y en a de la pyrite de cuivre dans cette galerie. C'est pour ça que je t'ai emmené ici.

— Que vas-tu faire avec de la pyrite de cuivre?

— Mon professeur de géologie veut un échantillon rare. Suis-moi, je vais te montrer.

Paul s'avance rapidement dans la nouvelle galerie. Eric ne veut pas être abandonné, et le suit à grands pas.

— Regarde cette veine qui court dans la paroi. C'est de la pyrite de cuivre.

L'étudiant détache un échantillon avec son piolet. Il grommelle:

— J'espère que le professeur sera content, cette fois!

— Vas-tu être le seul à présenter ce spécimen?

Eric, crédule, est prêt à l'admiration. Mais Paul lui répond avec franchise:

— Sûrement pas! Ce n'est pas si rare. Mais personne d'autre ne l'aura recueillie aussi loin. Maintenant, revenons vite! Il faut être à nos demeures avant le coupe-jour.

Le retour s'effectue rapidement. Eric ose même se tenir d'une seule main pendant que Paul le tire avec la corde. Et le guide connaît un chemin plus long, mais moins boueux. Ils débouchent enfin dans la caverne du lac Noir.

Ils remettent le canot, les avirons et le costume d'Eric au surveillant des expéditions. Puis les deux garçons retournent à la plage, où Eric retrouve ses affaires.

Ils passent devant l'oeil magique, qui enregistre leur plaque-matricule. Ils bondissent enfin dans un wagon de l'express. Hors d'haleine, ils se laissent tomber sur un banc, contents de leur après-midi.

Pendant le trajet, Eric veut fixer son sac à ses épaules. Mais il l'a mal fermé, et une pluie de papiers s'en échappe. Paul se met à quatre pattes pour l'aider à les ramasser. Il est intrigué par ces feuilles blanches couvertes de caractères. Si peu de gens prennent le temps d'écrire, à Surréal!

— Qu'est-ce que c'est? Des devoirs? Vous ne travaillez pas au magnétophone?

Le petit garçon est gêné.

— Ce sont des poèmes . . . Je les écris pour m'amuser.

Il rassemble ses papiers et les glisse dans son sac. Paul est impressionné par la pratique de cet art perdu.

— Je peux en lire un?

— Si tu veux. Ils ne sont pas très bien. Plus tard peut-être . . .

Pendant que Paul lit à mi-voix, Eric, intimidé, regarde par la fenêtre de l'express.

"Là, tu es là et tu seras là.
Là, je suis là et je ne pourrai jamais
sortir de là.
Là, je suis là,
qui parviendra à me sortir de là?
C'est là que je suis.
Là, c'est ici mon tombeau et je resterai là."

Paul s'exclame:

— Il est très bien, ton poème, Eric! Je te félicite.

84

Pourrais-tu m'en donner un, en souvenir d'aujourd'hui?

— Tiens, garde celui-ci. Je viens de l'écrire tantôt à la plage.

Eric lui glisse un papier dans la main. Puis il bondit sur ses pieds.

— Je change d'express ici. Au revoir, Paul, et merci! Quelle merveilleuse excursion!

L'express s'arrête un instant. Eric en profite pour débarquer. Par la fenêtre, Paul regarde la petite silhouette qui lui fait signe de la main. Il est déjà loin.

— Drôle de bonhomme!

Se rappelant ses responsabilités, il ajuste sa montre-radio.

— Je dois avertir Luc de rentrer pour le repas du soir.

Un simple signal lui répond. Le petit frère a compris. Mais, comme il aime s'entourer de mystère, il ne répond pas. Luc est encore à l'âge des grands secrets.

Arrivé à sa demeure, Paul passe un bon moment dans la salle de propreté. Il peut ensuite s'installer confortablement dans son fauteuil. En l'absence de son père, c'est lui qui prépare la table.

Par un jeu savant de boutons, il commande les pilules du souper. Il demande aussi un revigorant vert et frais. Son verre à la main, il contemple l'échantillon de pyrite de cuivre. Puis il se met à lire le poème d'Eric.

"Pour la première fois on a pénétré
Dans ce monde désolé.
Je suis émerveillé
Et Luc aussi.

Pour la première fois on a pénétré
Dans ce monde abandonné.
Pas de soleil qui éblouit,
Seulement de la brume et de la pluie.

Je reviendrai, je l'espère,
Je reviendrai le regarder
Et avec Luc l'admirer."

La lampe-pilote signale alors la présence de Luc dans le vestibule. Paul cache le papier dans sa poche. Au moment même où entre Luc, le visaphone s'illumine. Le docteur 15P9 apparaît sur l'écran.

— Bonjour, les enfants! Je suis désolé, mais une fois de plus, vous devrez souper sans moi. Des expériences importantes vont me retenir au laboratoire pour deux jours encore. La science exige bien des sacrifices!

Le savant est partagé entre sa famille et ses recherches. Pendant ses absences prolongées, Paul et Luc, qui n'ont plus de mère, se sentent bien seuls.

Les deux frères parlent quelques minutes avec leur père. Ils lui demandent des conseils et lui font leurs adieux. Puis ils avalent le menu express.

— Paul, as-tu trouvé un échantillon rare pour ta géologie?

— Seulement de la pyrite de cuivre, Luc.

— J'ai peut-être ce qu'il te faut. J'ai ramassé une roche très spéciale aujourd'hui. Seulement, je ne peux pas te révéler où je l'ai prise.

Luc plonge la main dans sa trousse d'urgence. Paul s'amuse des airs conspirateurs de son petit frère, qui lui remet une étrange pierre rouge.

— Je te donne cette pierre à une condition: son origine doit rester secrète. Tu dois jurer de ne pas me demander où je l'ai trouvée. Tu dois jurer aussi de ne dire à personne que c'est moi qui te l'ai donnée.

— Entendu, je le jure. Quel spécimen extraordinaire! Je n'ai jamais vu une pierre de cette forme. Merci d'avoir pensé à moi, Luc!

— Tu as juré le secret, ne l'oublie pas!

Paul est un peu agacé de son insistance.

— Mais oui! Maintenant, c'est le temps de te retirer dans ton cube-de-nuit et d'étudier. Je vais faire la même chose. Allez!

Plus tard, juste avant le coupe-jour, Paul, en bon chef de famille, va saluer amicalement son petit frère.

— Bonne nuit, Luc!

Ce soir, il doit remplacer à la fois le père et la mère.

CHAPITRE 10

QUATRE DIALOGUES
D'UN JOUR DE CONGÉ

— Bernard! Que fais-tu ici, à la Centrale? Je te croyais au lit, blessé.

— Non, chef, je suis guéri. Je viens de chez le médecin. Il a placé ma main sous des rayons régénérateurs. Il ne me reste plus qu'une cicatrice rose.

— Et tu ne passes pas ton jour de congé avec tes camarades?

— C'est que, chef, notre travail n'est pas terminé.

— Tu as bien raison! Nous avons passé la nuit à en discuter.

— Je peux encore être utile. Nous devons apprendre ce qui se cache derrière la plaque soudée dans le tuyau.

— Nous y avons bien pensé, mon petit. Il faut à tout prix percer ce mystère. En ce moment même, ton père est avec d'autres savants; ils cherchent un moyen de voir à travers le métal.

— Mais . . . et moi? Je ne retournerai pas dans les conduits?

— Tu as déjà fait plus que ta part. Tu n'es qu'un enfant!

— Chef, c'est à moi que vous avez confié cette mission-là! Papa dit toujours qu'il faut achever ce qu'on commence. Je dois finir mon travail.

— Tu as probablement raison, Bernard. Mais n'as-tu pas peur de retourner dans ces conduits?

— Si, je crois bien que j'ai peur!

— Alors pourquoi veux-tu le faire? C'est très important pour moi de le savoir.

— Je pense au bien de la collectivité. Ces fuites d'électricité affectent tout le monde à Surréal. Je pense aussi à mon père. Il sera fier de moi si je suis courageux!

— C'est vrai, Bernard! J'accepte ton offre. Tu retourneras avec les outils nécessaires. Tu nous diras ce qu'il y a derrière cette soudure dans le conduit nord-ouest.

— Bien, chef. À quelle heure dois-je revenir?

— Je vais voir cela avec les autres. Retourne chez toi. Je vais demander à ton père de t'appeler. Je suis sûr qu'il sera fier de toi, comme je le suis! Je n'osais pas te demander de retourner là-bas; tu ne m'as pas déçu. Laisse-moi te serrer la main . . . Pas celle-là! L'autre, celle qui n'est pas blessée.

— Au revoir, chef!

— Agatha, pourquoi pleures-tu? Il fait soleil!

— On peut avoir de la peine, même au soleil, Luc. Oh! Luc, je ne pourrai plus te revoir!

— Plus me revoir? Mais nous sommes des amis! On t'a défendu de me parler?

— Non. Personne ne sait que nous nous rencontrons ici.

— Agatha, ne pleure pas. Qu'y a-t-il?

— Il y a une épidémie au village. La mort laide s'abat sur nous.

— Une épidémie, qu'est-ce que c'est? Un animal dangereux?

— Non, Luc. Contre un animal, on peut se défendre! Mais une épidémie, c'est une maladie terrible qui tue une partie de la tribu.

— Vous ne pouvez pas vous soigner?

— Il n'y a aucun remède contre la mort laide. Il y a trois ans, elle nous a frappés. Le tiers des habitants sont morts. C'est là que j'ai perdu maman.

— Pauvre Agatha! Moi non plus, je n'ai plus de mère. Seulement papa et un grand frère.

— Mon frère va mourir bientôt, demain peut-être. Il est déjà inconscient.

— Agatha, quels sont les symptômes de cette maladie? Tu sais, je suis fils de médecin. Un jour, je saurai guérir.

— Les gens brûlent de fièvre. Ils deviennent couverts de plaies. Ils ont très mal à la tête, puis ils s'endorment et ne se réveillent plus. Certains survivent, mais ils gardent toujours sur leur visage la marque des griffes de la maladie.

— Une maladie qui défigure? Je vais chercher dans les livres de médecine préhistoriques de mon père!

— C'est inutile, Luc. Il n'y a rien à faire. Les gens commencent déjà à mourir.

— Et tu ne pourras plus venir à la montagne?

— Je suis trop jeune pour donner des soins aux malades, mais je peux occuper les enfants. Je devrai rester pour les amuser. Tant de parents meurent!

— Et toi, Agatha, vas-tu mourir?

— Je ne sais pas, Luc. Dieu seul sait qui la mort laide va frapper. Dieu seul peut nous aider maintenant. Adieu, Luc! Je dois partir.

— Au revoir, Agatha! J'espère que ton Dieu va te protéger!

— Paul 15P9! Tu sais qui je suis?

— Oui, Excellence! Vous êtes un membre du Grand Conseil.

— Nous ne faisons comparaître les citoyens que pour des choses très graves. Tu le sais?

— Oui, Excellence.

— Ton professeur de géologie nous a remis la pierre étrange que tu lui as donnée. Tu n'as pas voulu lui en révéler l'origine. Est-ce vrai?

— Oui, Excellence.

— Le Grand Conseil veut connaître l'origine de cette pierre.

— Je ne la connais pas moi-même, Excellence. Quelqu'un m'en a fait cadeau.

— Nos experts l'ont examinée. C'est un grenat. Sa coupe arrondie indique qu'il a été érodé par les glaciers. Cette forme ronde est caractéristique des pierres de surface. Sa présence ici est un mystère très inquiétant. Peux-tu nous aider à l'éclaircir?

— Peut-être que c'est une relique des premiers fondateurs?

— Non. Les examens de laboratoire ont décelé des traces de lichens dans les fissures du minéral. Ces lichens ont été exposés aux rayons solaires. Si cette pierre a pénétré dans le sous-sol par une faille, nous devons le savoir. Ce renseignement est d'intérêt public. Ton devoir de citoyen est de nous révéler d'où vient cette pierre.

— Je ne connais pas son lieu d'origine. Je sais seulement qui me l'a donnée. Mais j'ai juré de garder le secret.

— Qui est cette personne?

— Je ne peux pas vous le dire, Excellence! J'ai donné ma parole.

— Nous devons connaître l'origine de ce grenat. Je te donne jusqu'à demain matin pour retrouver la personne qui te l'a donné. Exige d'elle ces renseignements.

— Je vais faire mon possible, Excellence!

— Ton possible ne suffit pas, Paul 15P9! Ceci est un ordre formel. Tu comparaîtras demain matin devant le Grand Conseil. Si tu n'as pas une réponse précise, tu seras considéré comme traître et tu perdras tes privilèges de citoyen de Première Classe. Entendu et compris?

— Entendu et compris, Excellence!

— Non, Eric, pour la dixième fois, je n'ai pas le papier où est écrit ton poème.

— Mais maman, je l'avais hier à la plage! Il me le faut absolument.

— Eric, mon petit garçon, ta distraction va finir par te jouer de mauvais tours. Un jour, tu perdras quelque chose de vraiment important!

— Mais c'est important, maman! C'est une question de vie ou de mort!

— Eric, ne sois pas tragique. C'est bien amusant de parler comme un roman d'audio-vision. Mais nous vivons sous la terre et pas dans l'imagination. Ne l'oublie pas! Allons, prépare-toi, nous allons à la spirale et à la piscine.

94

CHAPITRE 11

LA DÉCOUVERTE DE BERNARD

Avec anxiété, les ingénieurs écoutent le bruisse-ment métallique transmis par le haut-parleur. Puis, c'est la voix de Bernard:

— Ça y est. La plaque est taillée. Le désintégrateur a très bien fonctionné. Maintenant, j'appuie douce-ment sur le morceau détaché.

Dans un silence attentif, chacun tend l'oreille pour mieux entendre.

— Il cède. C'est vide, derrière. Je sens de l'air froid.

Un bruit sec.

— Oups! il m'a échappé. Il a basculé et je le vois . . . mais . . . c'est un tunnel! Un tunnel dans la pierre!

— Un tunnel?

— Dans le roc solide?

— À cet endroit solitaire?

D'un geste, l'ingénieur en chef impose le silence.

— Continue, Bernard. Nous t'écoutons. Que vois-tu exactement?

— C'est un tunnel rond, un peu plus étroit que nos conduits. Le fil branché sur notre câble s'enfonce aussi loin que ma lumière peut éclairer.

— Bernard, peux-tu t'avancer un peu à l'intérieur du tunnel?

— Mais j'y suis déjà, chef! J'ai rampé à peu près trois mètres.

Quel enfant courageux! Les ingénieurs regardent avec admiration le père du jeune héros. Georges 6B12 redresse ses épaules courbées par les soucis.

— Bernard, sois prudent! Le fil continue-t-il?

— Oui. Il s'enfonce et je ne vois pas le bout de la galerie . . . Difficile d'avancer. C'est très étroit, le sol est accidenté . . . Oh! Un gant! Je viens de trouver un gant par terre! Il est juste de la longueur de ma main.

— En quoi est-il fait, Bernard?

— Je n'ai jamais vu ça! Une substance étrange, très solide et transparente . . . Attendez! Quelque chose a brillé là-bas! Je vais voir.

Son père est à bout de nerfs:

— Bernard! Attends! N'y va pas!

— Ne t'inquiète pas, papa. Tout va bien! J'ai trouvé ce qui brillait. C'est un instrument; ça ressemble à du cuivre, mais c'est autre chose. Un outil, en tout cas. Il a une forme bizarre.

Soudain la voix s'altère:

— Je . . . je n'aime pas ça, papa. J'ai l'impression

que . . . quelqu'un est passé ici récemment. Qu'est-ce que je fais?

C'est l'ingénieur en chef qui répond:

— Reviens avec les objets que tu as trouvés. Remets la plaque en place avec le ruban gommant et apporte-nous tes découvertes. Nous allons les étudier et nous aviserons.

— Bien, chef.

Il y a visiblement du soulagement dans la voix du petit garçon. Il ne se fait pas prier pour revenir. Groupés à l'orifice 5, les ingénieurs l'attendent avec impatience.

Bernard émerge enfin, les yeux brillants. Il brandit ses trophées: un gant et un sectionneur de fils . . . de modèles inconnus dans la Cité.

Il y a donc un autre peuple sous la terre? Les Sur-réalais ne sont pas les seuls survivants de la Grande Destruction? Qui sont ces gens? Pourquoi volent-ils de l'électricité? Que veulent-ils?

CHAPITRE 12

LUC PART EN MISSION

Luc arrive en trombe à la demeure déserte des 15P9. Il y pénètre en coup de vent. Il ne fait pas attention au détecteur de propreté qui clignote, rouge d'indignation.

Il se précipite vers la bibliothèque de son père le docteur. Fébrilement, il cherche dans les livres de médecine ancienne. Y a-t-il une maladie semblable à la mort laide?

Le petit garçon trouve finalement les symptômes décrits par Agatha.

"Variole. Communément appelée petite vérole. Maladie épidémique . . . Les grandes épidémies meurtrières ont disparu grâce à la vaccination . . ."

Luc, ravi, murmure:

— Agatha, je vais te sauver!

Surréal a développé un moyen de tuer la plupart des virus. Des rayons spéciaux suppriment les microbes dangereux et assurent une protection de plusieurs mois contre leur retour. Ces rayons sont si efficaces qu'on n'a même plus besoin de la vaccination.

Le docteur 15P9 connaît bien les appareils émetteurs de rayons. Il a contribué à mettre au point le dernier modèle. Il en a un chez lui.

Luc pense:

— Si je transporte cet appareil jusqu'à Laurania, je vais guérir mon ami Agatha et tout le village!

Mais il faudra être prudent. Comment ne pas attirer l'attention dans Surréal avec cette machine, une lourde boîte noire?

— Le sac de spéléologie de Paul! Il est assez grand pour dissimuler l'appareil, et ce sera plus facile à transporter.

Le petit garçon entre dans le cube-de-nuit de son frère. Le sac de spéléologie est bien là. Luc griffonne une note pour Paul; il la laisse sur son pupitre. Puis il sort avec le sac et se rend dans la salle de travail de son père.

Là se trouve la machine à rayons. Luc glisse la boîte noire dans le sac, qui semble fait pour elle. Puis il ajuste le fardeau sur ses frêles épaules. Que c'est lourd! Et Laurania est si loin!

N'écoutant que son bon coeur, Luc part à grands pas. Il saute dans l'express-sud, où personne ne le remarque. Tous sont en train d'écouter les ondes sonores. En effet, le Grand Conseil émet un communiqué.

"Des découvertes extraordinaires permettent de croire qu'on éclaircira bientôt le mystère de la perte d'électricité. Restez calmes. Continuez votre vie normale. Nous vous donnerons des précisions le plus tôt possible."

À son arrêt habituel, Luc entreprend l'itinéraire maintenant si familier. Le poids du sac le courbe, ralentit sa course et rend plus pénible la traversée de la fissure étroite. Mais la pensée de sa mission de secours lui donne des forces.

Pour la deuxième fois aujourd'hui, Luc débouche au flanc de la montagne. Sa pente n'a plus de secret pour lui. Les cailloux roulent sous ses pieds. Il arrive sans encombre à l'orée de la forêt.

Là, il hésite un instant. Avec des sens tout neufs, il s'oriente dans l'univers bruissant et lumineux de la forêt. Agatha lui a déjà expliqué dans quelle direction se trouve Laurania. Luc s'engage résolument entre les sapins.

Il n'est pas un coureur des bois, mais il distingue une piste. Les chasseurs ont battu un chemin entre leur village et la forêt giboyeuse du flanc nord de la montagne. Il n'a qu'à le suivre.

Le sentier est étroit et accidenté. Parfois, Luc trébuche sur des racines. Il doit s'en méfier, car son lourd fardeau lui fait perdre l'équilibre. Marchant courbé en avant, il ajuste souvent les courroies qui lui scient les épaules.

Le soleil plombe entre les arbres. Heureusement, le casque-lumière protège la tête du petit garçon. La sueur coule sous son masque et lui pique les yeux.

Pour s'encourager, il chante, à la cadence de ses pas, une petite chanson qu'il invente à mesure.

"Tu vivras, Agatha, ne pleure pas.
Tu verras, tu vivras, Agatha.
Je suis ton ami, et celui, aussi, de Laurania."

— Me voici aussi bon qu'Eric! pense-t-il, sans se prendre au sérieux.

La marche pénible se prolonge. Luc a soif. Les épines déchirent ses jambes et ses bras nus. La boîte noire, dans le sac, se fait de plus en plus lourde. Le petit garçon appuie souvent son dos à un arbre, pour se reposer quelques secondes.

Peu à peu, le chant des oiseaux cesse, les ombres s'allongent, le temps se refroidit. Luc ne distingue plus très bien les obstacles et trébuche sur eux.

— Est-ce que je deviens aveugle? J'ai comme un voile devant les yeux!

Il n'a jamais vu tomber le jour. À Surréal, on éteint toutes les lumières. On crée la nuit d'un seul coup.

Levant la tête, Luc voit briller la première étoile du soir. Puis la lune, ronde et basse, surgit à l'horizon. Elle baigne la forêt d'une clarté laiteuse. Luc oublie sa fatigue devant cette merveille.

— La lune! La vraie lune de la préhistoire! Comme c'est étrange! Il fait sombre et pourtant clair.

Une à une, les étoiles s'allument. L'enfant découvre le plus vieux spectacle au monde, et le plus grandiose.

— Alors, c'est le Dieu d'Agatha qui a créé tout cela?

La pensée de sa jeune amie le tire de sa rêverie. Pressant le bouton de son casque, il fait jaillir le faisceau lumineux. Sa lueur, si puissante sous le sol, paraît insuffisante dans les ténèbres de la forêt sauvage.

Luc frissonne. Il ne reconnaît pas son amie la nature dans son déguisement nocturne. Il se sent tout seul et tout petit. Comme il est vulnérable sur cette terre menaçante, sous ce ciel lointain où brillent les étoiles froides!

Le coeur battant, l'oeil aux aguets, les oreilles bourdonnantes de bruits mystérieux, Luc avance péniblement. Autour de lui, les branches craquent, les buissons frémissent.

Un long hurlement éclate, enfle et se prolonge pour se terminer par un rire moqueur. Les loups entrent en chasse.

Luc, épuisé, vit un terrible cauchemar. Soudain, son pied ne rencontre que le vide. Entraîné par son fardeau, Luc plonge tête première dans une pente raide. Sa jambe se tord douloureusement. Une branche fouette son visage et arrache son masque.

Avec un grand cri, le petit garçon tombe dans un gouffre noir. La nuit se referme autour de lui. Les loups hurlent et chassent. La forêt est à eux.

CHAPITRE 13

MESSAGER DE PAIX

Le Grand Conseil a convoqué une réunion d'urgence. Les ingénieurs consultent des représentants de chaque profession de Surréal. Tous sont d'accord: il y a une autre civilisation souterraine. Les deux objets rapportés par Bernard 6B12 le prouvent. Et la première manifestation de cette race est malhonnête: ce sont des voleurs d'électricité.

Comme c'est dommage! Depuis si longtemps, le Grand Conseil espérait découvrir d'autres peuples. Les habitants de la Cité isolée se sentent si seuls! Tous souhaitent un échange d'idées, des contacts enrichissants. Maintenant, on redoute un peu la rencontre avec cet autre peuple. Les nouveaux venus ne sont guère attachants. Ils risquent sans scrupule la vie d'un peuple.

— Ainsi, les tremblement de terre, c'était leur dynamitage?

— Et ils ont provoqué la panne de courant, pour faire un raccordement sur notre câble.

— Ils l'ont réussi en douze minutes. C'est un temps

record! Leur technologie semble bien avancée. Ils ont opéré magistralement.

— Nous devons agir vite. La plaque dessoudée dans le conduit va bientôt les alerter. Et les fuites d'électricité augmentent de jour en jour.

Le président du Grand Conseil intervient:

— Il faut aller au plus pressé. Comment peut-on couper leur fil immédiatement?

L'ingénieur en chef répond:

— Il n'y a qu'un seul moyen, Excellence: retourner dans le conduit et sectionner ce fil sur place.

— Qui se chargera de ce travail dangereux?

L'ingénieur contemple ses mains crispées. Sans relever la tête, il murmure:

— Dans tout Surréal, une seule personne a la compétence . . . et la taille pour accomplir cette mission.

Un silence lourd plane sur l'assemblée. Lentement, Georges 6B12 se lève. D'une voix grave, il prononce la phrase qui sauvera la Cité, mais condamne peut-être son fils.

— Bernard 6B12 va couper le fil. Il a déjà offert de retourner dans les conduits.

Le président du Grand Conseil se lève, dominant l'assemblée.

— Un enfant nous donne l'exemple. Nous ne devons pas montrer moins de courage que lui. Le Grand Conseil a entendu, compris et accepté l'offre de Bernard 6B12. Il n'y a pas de temps à perdre. J'ai honte de le dire, mais cet autre peuple se comporte en ennemi. Cependant, nous sommes toujours liés par des voeux sacrés au culte de la paix. La guerre terrible qui a ravagé l'humanité et conduit notre peuple sous la terre, sera la dernière. Les fondateurs l'ont juré. Nous chargerons Bernard de laisser un message de paix pour l'autre peuple. Nous devons offrir aux Autres, notre amitié et l'aide de nos experts. Les ressources de la terre sont inépuisables. Nous les aiderons à établir une centrale comme la nôtre. Ainsi, ils seront sauvés sans causer notre perte.

Georges 6B12, dites à votre fils que nous comptons sur lui. Il sera notre messager de paix. Messieurs, il faut maintenant mettre la Cité au courant de notre décision. Le peuple a le droit de connaître les dangers qui le menacent.

Une heure plus tard, à la Centrale, Bernard comparaît devant le groupe des ingénieurs.

Le chef lui remet une grande enveloppe blanche. Elle contient le message d'espoir et de paix du Grand Conseil.

— Maintenant, Bernard, écoute bien. Le fil des Autres est branché sur notre câble électrique. Il fonctionne donc selon le même principe. Leur interrupteur de courant doit ressembler aux nôtres. La boîte de leur disjoncteur de branchement doit se trouver à proximité de notre conduit. C'est là que tu trouveras le régulateur de courant. Je ne peux pas dire quelle sera sa grosseur ou sa forme. Regarde, voici des dessins de tous les modèles que nous connaissons.

Je ne sais pas non plus de quelle manière il fonctionne. Mais une chose est certaine: tu dois interrompre le courant avant de couper le fil, sinon . . .

Bernard a assez de connaissances techniques pour deviner la décharge foudroyante d'un fil à haute tension. Tout ce qui s'en approche est carbonisé instantanément, dans un rayon de trois mètres.

— Je comprends, chef.

— Alors, tu dois, tu *dois* trouver leur disjoncteur et localiser la manette qui interrompt le courant. Il faut l'actionner *avant* de sectionner le fil. Nous allons te remettre un désintégrateur extrêmement puissant. Il est réglable. Sa décharge la plus faible suffira pour rompre le fil. Poussé à pleine puissance, ce désintégrateur peut creuser le roc.

L'ingénieur en chef remet l'appareil à Bernard. Georges 6B12 lui en explique le fonctionnement. Puis, les deux hommes décrivent à leur élève attentif la manière de procéder pour remplir sa tâche. Le garçon étudie avec eux les éventualités possibles.

Tout est expliqué. Bernard enfile calmement sa combinaison isolante. Mécaniquement, il vérifie le fonctionnement de sa lampe, de sa radio et du bracelet-détecteur. Cette routine presque journalière le rassure.

D'homme à homme, il serre la main de son père. Il se tourne ensuite vers sa mère qui, cette fois, assiste à son départ. Elle le serre dans ses bras et lui dit avec un sourire:

— Bon courage, mon chéri. Je serai avec toi chaque seconde. Que le Premier Moteur te protège!

Bernard apprécie ce calme. Elle le salue exactement comme elle le fait à son départ pour la classe, quand il doit passer un examen difficile.

À la porte de la section 5, l'ingénieur en chef s'approche de lui.

— Tu as bien la lettre du Grand Conseil? Alors je résume les instructions. Tu t'avances jusqu'à l'interrupteur de courant. Tu déposes le message bien en évidence. Tu actionnes la manette ou le bouton qui coupe le courant. Puis tu sectionnes le fil avec ton désintégrateur, de leur côté, tout près du disjoncteur de branchement.

— J'ai compris, Chef. Au revoir, papa, maman!

Le petit garçon revêt son masque et plonge dans le conduit familier. Il ne voit pas les traits durcis de son père, le geste d'adieu de sa mère. Le messager de paix est déjà tout à sa mission.

Le désintégrateur, sorte de revolver volumineux mais léger, est attaché à sa taille. La précieuse lettre est en sûreté dans sa poche.

Bernard avance vite aujourd'hui. Il ne s'accorde même pas le luxe d'un arrêt après le premier tournant. Le climat est à l'action. Avec l'agilité d'une longue habitude, il se glisse dans les couloirs étroits. Il contourne habilement les angles droits et plonge sans hésiter dans les conduits verticaux.

En un temps record, il rejoint la section dangereuse.

La cicatrice du ruban gommé signale l'entrée du tunnel des Autres.

— Me voici rendu. Je reprends mon souffle.

Bernard décrit ses actes à mesure. Il entre dans la galerie. Ramper dans ce passage n'est pas facile. Ses épaules frôlent les parois. Son casque heurte parfois un bout de métal qui dépasse.

— J'ai le ventre sur leur fil à haute tension. Je n'aime pas ça, mais il n'y a pas moyen de faire autrement. S'ils se promènent par ici, ils ne sont pas gros! Je viens de dépasser l'endroit où j'ai trouvé le gant et la clé.

Instinctivement, le jeune explorateur baisse la voix. Il va vite. Il n'aime pas penser à ce qui l'entoure.

À la Centrale, le groupe habituel est suspendu à ses paroles. Cette fois, une mère torturée et le Grand Conseil au complet partagent l'attente angoissante.

Bernard espère trouver la boîte bientôt. Il sent qu'il ne supportera pas longtemps cette tension.

Heureusement, après quinze mètres, le couloir s'élargit sensiblement. Il oblique à gauche et devient plus haut. Bernard peut se redresser.

— Je l'ai! J'ai trouvé leur boîte. C'est un cylindre de couleur cuivre. Le tunnel continue vers l'ouest et semble plus large et plus haut.

L'ingénieur en chef prend le micro.

— Bernard, ne prends pas de risques inutiles. Ne t'enfonce pas là-dedans. Avance-toi seulement un

110

peu pour déposer le message du Grand Conseil, bien en vue.

— Entendu, chef! Je mets le message au centre du couloir. Ils ne peuvent pas le manquer. Maintenant, je reviens sur mes pas pour examiner l'interrupteur de courant. Hum! C'est plein de boutons de couleur. Je ne sais pas lequel est le bon.

— Est-ce que tous ces boutons sont pareils?

— Non . . . oui . . . à peu près, chef.

— Alors ce n'est pas ça. Cherche mieux.

— Ah! Ici, il y a une manette. Elle glisse de haut en bas. Il y a des inscriptions étranges à chaque extrémité.

— Y a-t-il d'autres manettes?

— Non, c'est la seule. Il y a des boutons de couleur et cette manette plus longue.

— Où est-elle actuellement?

— Tout à fait au sommet.

— Bernard, je crois que tu as trouvé. Il faut courir ce risque. Baisse le levier d'un seul coup, puis coupe le fil tout près de la boîte, de leur côté.

L'ingénieur en chef a pris une voix rassurante; le petit garçon ne peut pas voir sa figure contractée. L'angoisse règne à la Centrale. Madame 6B12 a envie de crier: "Non, non, Bernard, n'y touche pas! Reviens!" Elle retient cet appel instinctif et se serre contre son mari. Épaule contre épaule, ils attendent, les yeux fixés sur le haut-parleur.

Bernard, immobile, la main sur le levier, rassemble son courage. Il joue sa vie sur le jeu d'une manette. Va-t-elle interrompre le courant? Va-t-elle l'électrocuter?

Soudain, son sang se glace: il entend un voix. Elle ne provient pas de son récepteur. Cette voix se rapproche. Au loin, vers l'ouest, une lumière scintille dans le tunnel. Bernard chuchote dans son micro:

— *Ils* arrivent!

Les battements de son coeur résonnent à ses oreilles comme un roulement de tambour. Il n'entend pas le cri de sa mère, les ordres de l'ingénieur en chef. Seul un bruit confus lui remplit la tête. Là-bas, les Autres ont aperçu sa lumière. Ils se mettent à courir vers lui en criant.

Paralysé, Bernard les voit se rapprocher. Ils sont petits, pas plus grands que lui. Presque nus, ils sont trapus, avec des épaules musclées et des bras très longs. Leurs faces sont barbues et grimaçantes. Ils avancent sans masque. Des lampes, fixées sur leur front, leur donnent une allure de cyclopes. Ils hurlent, dans une langue gutturale, des menaces évidentes.

Dans son masque, le petit garçon murmure:

— Comme ils sont laids!

Sans ralentir son allure, le premier coureur foule aux pieds le message de paix, dernier espoir du Grand Conseil.

À ce spectacle, Bernard se transforme de statue passive en dynamo. Il abaisse d'un coup la manette de l'interrupteur. Il sort le désintégrateur de son étui et vise le fil près de la boîte. Dans un éclair rouge de métal fondu, le fil est sectionné.

Surpris par ces brusques mouvements, le premier arrivant s'arrête, indécis. Puis le petit homme barbu étend le bras et brandit un tube argenté. Un rayon bleu jaillit du tube.

Bernard reçoit cette décharge foudroyante dans le dos. Le souffle coupé, il tombe à terre. Par-dessus son épaule, il voit deux des cyclopes se consulter, hésitants.

À la Centrale, on a compris le drame terrible. Une rage impuissante secoue tous ces hommes.

— Bernard! hurle l'ingénieur en chef. Bernard, tire! Tire sur eux avec ton désintégrateur. Mets le plein pouvoir et tire!

Le petit garçon entend l'ordre. Se retournant péniblement, il pointe son désintégrateur vers les étrangers. Cet appareil n'a jamais été conçu comme une arme, mais ses possibilités se révèlent brusquement. À pleine puissance, il fera un massacre.

Ils sont tout près maintenant. Bernard ne peut plus attendre. Mais, au moment de tirer, le garçon se rappelle la mission que le Grand Conseil lui a confiée. Il est un messager de paix. Il souffle avec difficulté.

— Je ne peux pas tuer. Je préfère mourir.

Il élève le désintégrateur vers la voûte de la galerie de pierre, à quelques mètres de lui. C'est là qu'il fait feu.

Dans un grondement de tonnerre, le tunnel s'effondre, coupant à l'ennemi l'accès de la Cité. Bernard est emprisonné dans les débris.

À la Centrale, l'écho répète inlassablement le grondement des roches qui tombent. Madame 6B12 couvre sa figure et gémit:

— Bernard, mon petit enfant! Bernard, mon petit enfant!

CHAPITRE 14

LES ÉPREUVES DE PAUL

Paul vient de quitter le représentant du Grand Conseil. Préoccupé, il erre partout à la recherche de Luc.

Il fait des appels répétés avec sa montre-radio. La communication a été coupée à l'autre bout. Le terrible petit frère ne daigne même pas recevoir de messages, ce jour-là!

Furieux, Paul cherche un remède à son anxiété dans l'exercice violent. Il fait deux tours effrénés dans la spirale et ne porte aucune attention au rythme musical. Puis il traverse rageusement la piscine, fouettant l'eau avec ses bras, faute de pouvoir mettre la main sur le vrai coupable.

À la dernière minute, il se souvient de son rendez-vous avec le réalisateur de son programme au Réseau Général. Cette rencontre est le point culminant de sa jeune carrière d'orateur. Elle se passe comme dans un rêve. Paul n'en garde qu'un souvenir confus. On convient de la date et de l'heure de l'émission. Tout ce qui le frappe, c'est qu'il n'aura jamais assez de temps pour se préparer.

Il devra se présenter avec son sujet en tête. Le Réseau laisse le gagnant du concours oratoire libre d'improviser. Le texte n'est pas censuré à l'avance. C'est une belle marque de confiance. Mais aujourd'hui, Paul se soucie peu du discours. Son privilège de Citoyen de Première Classe est menacé. Depuis son enfance, il s'applique à mériter ce statut enviable. Tous ses projets d'avenir en dépendent.

Il rentre chez lui en hâte. C'est l'heure du repas du soir. Il laisse le détecteur de propreté tempêter en vain. Son cri impérieux résonne dans les pièces désertes:

— Luc 15P9, j'ai à te parler!

Comme un ouragan vengeur, Paul fait le tour des cubes. Il arrive dans le sien. La vue de son lit bouleversé ranime sa colère. Ce désordre est tout à fait contre les habitudes rangées du petit frère si sérieux. Mais Paul est trop fâché pour s'en rendre compte.

— Mille moteurs! Le bandit!

Ses yeux s'arrêtent à la note griffonnée en hâte à son intention. Son contenu abrupt ne calme en rien sa juste indignation.

"Je serai en retard pour le repas. Ne m'attends pas."

— Et où pense-t-il courir avec le coupe-jour dans deux heures?

Ah! si papa était ici! Ça ne peut pas continuer comme ça!

L'absence du docteur 15P9 se fait cruellement sentir en ce jour d'épreuves. Paul ne peut se décharger de ses responsabilités trop lourdes.

Revenu dans la pièce principale, l'aîné commande les pilules-repas pour deux. Il s'assoit devant la table déserte. À ce moment, sa montre-radio émet le bruissement qui annonce une communication.

— Ce n'est pas trop tôt! commente Paul.

Il prend son souffle pour soulager le trop-plein de son coeur. Mais il se fige sur place quand il entend la petite voix lamentable de Luc:

— Paul, au secours! Viens me chercher! Il fait noir . . . noir . . . J'ai perdu mon masque. Je pense que ma jambe est cassée. Oh! Paul, j'ai peur. Viens vite . . . vite . . .

Et l'appareil devient muet. L'appel désespéré résonne encore aux oreilles de Paul. Toutes les exhortations du grand frère demeurent sans réponse.

Où est Luc? Paul se sent des ailes pour voler à son aide, mais il ne sait pas dans quelle direction chercher. Il a dit: "Il fait noir." Où peut-il être? Dans les Grottes Profondes? Impossible; l'oeil électronique signale toutes les absences aux gardiens des cavernes.

Paul pense alors à la roche grenat, ce fameux cadeau de Luc, la source de tous ses maux. Selon les experts, cette pierre a une origine glaciaire. Elle provient donc de la surface.

Fébrilement, Paul fouille dans son pupitre. Il éparpille, à travers le cube-de-nuit, le contenu de ses dossiers sacro-saints.

Il lit et relit le poème griffonné par Eric:

"Pour la première fois on a pénétré
Dans ce monde désolé.
Je suis émerveillé,
Et Luc aussi."

Et Luc aussi! C'est donc à la surface qu'il faut chercher le petit garçon. Mais comment a-t-il pu s'y rendre?

Paul a soudain un regret. Il n'a pas été assez proche de son frère, il ne s'est pas assez intéressé à lui.

— Je n'ai pas été son confident. Je n'ai pas pu l'aider, le mettre en garde.

Un peu tard, le jeune homme prend des résolutions pour l'avenir. Puis il compose le numéro d'Eric au visaphone. La figure ronde du petit poète se matérialise sur l'écran.

— Eric, Luc vient de m'appeler à son secours. Il est en danger. Sais-tu où il est?

La perplexité se lit dans les yeux bleus. Luc en danger? La parole donnée, le Grand Serment, lui ferment la bouche.

— J'ai promis de ne rien dire.

— Eric, je t'en supplie! J'ai relu ton poème. Toi seul peux aider Luc! Dis-moi comment il se rend à l'air libre. Il a perdu son masque. Je peux peut-être encore arriver à temps.

Brusquement, Eric prend une décision. Tant pis si le Grand Serment dit qu'il sera "rejeté à l'extérieur

118

pour y périr horriblement"! C'est ce qui est en train d'arriver à Luc. Il faut agir.

— Je suis seul à la demeure. Mes parents ont accompagné Bernard à la Centrale. Rejoins-moi au terminus de l'express-sud. J'y serai dans quelques minutes. Je vais te montrer par où passer pour sortir. Je n'en sais pas plus long. À tantôt.

Paul tente de rejoindre son père, mais au laboratoire les ordres sont formels. L'expérience en cours ne doit pas être interrompue, même pour cause de mortalité. Le garçon doit donc aller seul au secours de son frère.

Avant de sortir, il récapitule l'appel de Luc. Pensant au masque perdu, à la jambe cassée, aux dangers inconnus, il prépare systématiquement son expédition.

Il met dans sa poche la pilule-repas qui reste du souper. Il volera un masque dans les réserves placées à chaque terminus. Dans le cube-de-nuit de son père, il vide la trousse de médecin. Il glisse dans son tube d'urgence une seringue automatique remplie de liquide analgésique, des bandages et des désinfectants. Puis il arrache la couverture de son lit. Si Luc est en état de choc, il aura besoin de chaleur. Paul utilise ses vagues notions de premiers soins.

Il enfile maintenant sa combinaison de spéléologue, et saisit son piolet. Le long manche terminé par le marteau de fer pointu constitue une arme rassurante. Prêt au combat, le jeune chevalier fonce vers le terminus où l'attend Eric.

Paul et Eric sont maintenant accroupis l'un en face

de l'autre dans l'élargissement de la fissure. Ils s'éclairent mutuellement, comme déjà Eric et Luc au même endroit.

— À partir d'ici, tu ne peux pas te tromper. Je ne sais pas où Luc s'est dirigé en arrivant à l'air libre. Il ne m'a montré que l'orifice du tunnel. Nous n'en avons jamais reparlé.

— Merci, Eric. Retourne à ta demeure avant le coupe-jour. Tu en as à peine le temps. Si je ne suis pas rentré demain, avertis mon père au laboratoire. Je ne te trahirai pas; personne ne saura que tu as déjà franchi la porte-frontière. C'est illégal, tu sais, vos petites excursions.

— Est-ce que tu risques beaucoup, si tu es pris?

— Au point où j'en suis, un crime de plus ou de moins, ça ne change rien, répond Paul amèrement.

Et Eric brûle d'admiration pour son héros audacieux.

— Je pars. Voici ton poème. Il est compromettant. Tu devrais le détruire.

Paul incline sa tête et sa lumière, en signe d'adieu. Puis il s'engage dans la fissure, la couverture sur l'épaule, le piolet à la main.

L'air frais de la nuit le fouette au visage. Les étoiles lointaines lui donnent le vertige.

Paul compte trouver son frère facilement. Un de ses héros préhistoriques est "Long Couteau", ce fameux coureur des bois de l'auteur ancien Fenimore

Cooper. La forêt n'avait pas de secrets pour lui. Paul ne lit pas couramment le livre de la nature, mais il pourra au moins l'épeler. Il suivra des traces, des branches cassées, l'herbe foulée, les empreintes dans le sable.

Il était préparé à tout, sauf à cet immense vacuum noir. Son petit frère est en danger quelque part là-dedans.

Perplexe, notre ami s'arrête, en équilibre instable sur les roches rondes. Une inspiration lui vient: Luc a peut-être repris conscience.

Il synchronise sa montre-boussole-radio et appelle longuement. Finalement, le bracelet crépite. Il entend avec joie la voix de Luc, beaucoup plus proche maintenant, mais tremblante et affaiblie.

— Paul, au secours!

— Luc, je viens te chercher. N'aie pas peur, j'arrive. Je suis à l'entrée de l'Air Libre. Dis-moi comment te rejoindre.

— Je suis dans la forêt, très loin. J'ai marché pendant des heures.

— Dans quelle direction? Ne perds pas de temps. Parle vite.

— Descends la côte.

Un silence, entrecoupé de jurons pendant que de nombreuses pierres glissent. Nouveau silence . . . puis . . .

— Je suis en bas. Ensuite?

— Entre dans la forêt et va vers la droite jusqu'au sentier qui se dirige vers le sud.

Dans un bruit de branches cassées, Paul fait son apprentissage de marche terrestre. Malgré la gravité de sa situation, Luc sourit en entendant les plaintes familières de son aîné pendant cette progression difficile.

— Mille moteurs! Échelle de corde! Ah! la maudite branche!

Enfin Paul, en loques, fait irruption dans le sentier battu. Maintenant il peut avancer plus rapidement. Des chutes brutales ponctuent sa course maladroite. Il adopte bientôt la devise "lentement mais sûrement". Un éclopé dans la famille, c'est bien assez.

Tout en marchant rapidement, il cause avec Luc. Il l'imagine souffrant, anxieux et seul dans la nuit noire.

Des ricanements moqueurs éclatent à gauche; un concert analogue répond à droite.

— Tu as entendu? demande Luc tremblant.

— Des chouettes, le rassure Paul, qui sait bien que ce sont des loups.

— Ah! tant mieux. Je croyais que c'étaient des loups.

Luc, confiant, s'en remet aux connaissances de son grand frère.

Pour le distraire, Paul l'interroge sur sa découverte de l'Air Libre. Avec effarement, il apprend l'histoire de l'expédition de secours de Luc.

— C'est plus loin que je ne le pensais, avoue le petit garçon, penaud. Alors la nuit est tombée.

— Et toi aussi!

— Heureusement, je n'ai pas perdu mon casque-lumière. L'obscurité est tellement effrayante!

— Mais tu n'as plus de masque?

— C'est vrai. Au début, je me préparais à étouffer. Mais je constate que je respire très bien. Ça sent bon, à l'Air Libre! Tu sais, Paul, je crois que l'air est redevenu pur, depuis tout ce temps.

— Tout me semble possible aujourd'hui, grommelle le chevalier. Il sent vivre la forêt autour de lui et ne l'apprécie pas tu tout.

Luc est rassuré par le son de sa propre voix et l'approche de son grand frère. Il oublie sa douleur dans un dialogue animé.

— Heureusement, la boîte à rayons est intacte. J'ai vérifié.

Dans son malheur, l'enfant généreux pense encore aux autres. Il ajoute:

— Ils pourront l'utiliser à Laurania.

— Si jamais nous y arrivons! Ce chemin est interminable. Mais, par le Grand Moteur, t'es-tu rendu au bout de la terre?

Un murmure terrifié lui répond.

— Paul, il y a une énorme bête dans l'arbre au-dessus de moi. Je vois ses yeux briller dans ma lumière! Ça ressemble à un gros chat.

Paul s'élance, envoyant la prudence au diable. Il jette ses instructions à son frère.

— Tiens-le dans les rayons de ta lampe . . . Ne le quitte pas des yeux un instant . . . As-tu . . . une . . . arme?

— J'ai une pierre dans la main, rien d'autre. Vite, Paul, vite!

La peur paralyse ou donne des ailes. Le jeune homme court comme il n'a jamais couru dans sa vie. Ses pas se dirigent vers le danger.

— Paul, je t'entends arriver. J'entends les branches cassées. Je suis en bas d'une côte. Ne tombe pas!

Entre les feuilles, le sauveteur distingue une lueur vacillante. Il fonce. Des épines le griffent cruellement.

— Luc, ne bouge pas surtout! Je te vois.

Hors d'haleine, Paul surgit en haut de la côte. Le spectacle le glace d'horreur. La petite silhouette frêle de Luc, dans sa tunique blanche, se dessine à trois mètres sous lui.

Le petit garçon est assis, adossé à son sac, une jambe curieusement repliée sous lui. Il regarde fixement la fourche d'un arbre qui s'avance au-dessus de sa tête. Pétrifié par le rayon qui l'éblouit, un énorme puma rampe avec prudence sur la branche. Il décide soudain de vaincre sa peur de la lumière. Il tend ses muscles pour bondir.

Il prend son élan, en même temps que Paul a pris le sien. Frappé par ce bolide inattendu, le fauve fait demi-tour dans les airs et retombe à un mètre de Luc. Étourdi par la collision, Paul roule sur le sol un peu plus loin. Il a perdu son casque, mais il n'a pas lâché son piolet.

Dans le rayon de lumière, il aperçoit la silhouette menaçante du fauve, qui s'apprête à bondir sur sa nouvelle proie.

Des heures de jeu au ballon-robot ont entraîné Paul à la défensive. Il se redresse sur un genou, serrant à deux mains son arme insuffisante.

Le puma s'élance. Paul l'attend. L'ombre gigantesque semble couvrir le ciel. Le jeune homme sent l'haleine fétide et entend le grondement profond. Il se jette de côté et, de toutes ses forces, il frappe la masse sombre de son agresseur. La violence du choc lui arrache le piolet des mains.

Pour la seconde fois, l'animal roule d'un côté et le garçon de l'autre. Cette fois, Paul est désarmé. À tâtons, il cherche une pierre pour continuer la lutte sans pitié. Haletant, il essaie de distinguer dans le noir les mouvements de son ennemi.

Mais le puma ne bouge plus. Même son grondement s'est tu. N'osant croire à sa victoire, Paul se redresse. Ses yeux, maintenant habitués à l'obscurité, devinent la forme inerte de la bête.

Il court alors jusqu'à Luc. L'enfant est évanoui, vaincu par l'émotion et la douleur. Paul prend son casque et s'en coiffe. Il s'approche du fauve avec précaution. Son piolet a empalé le lion des montagnes, lui traversant le coeur. C'est un hasard providentiel.

Le jeune homme y pensera toute sa vie avec un frisson d'angoisse.

Paul retrouve son casque et remet le sien à son frère. Puis il escalade la pente. En haut, il retrouve la couverture et la trousse d'urgence.

Rapidement, l'adolescent soigne le blessé. Il lui fait une injection calmante avec la seringue. Puis il redresse la jambe cassée et la lie solidement à une branche droite.

Tendrement, il enveloppe son petit frère dans la couverture pleine d'accrocs. Puis il dépose la machine à rayons sur une roche, à l'abri. Luc s'est donné bien du mal pour cette boîte noire.

— Nous reviendrons la chercher. Maintenant, il faut trouver Laurania.

CHAPITRE 15

LAURANIA

Paul met en pratique les méthodes de secourisme apprises en classe. Il hisse sur ses épaules son petit frère blessé. Il cherche la façon la plus confortable pour le transporter. Un moment, il songe à remettre leurs masques, mais il y renonce. Puisqu'ils ont découvert l'Air Libre, autant lui faire confiance.

Paul reprend le sentier. Il avance lentement pour ne pas secouer son fardeau. Il se dirige vers Laurania. Il se demande comment il sera reçu. Ce peuple rustique acceptera-t-il les enfants de sous-la-terre?

L'aube naissante teinte le ciel de rose. Dans une splendeur de couleurs, le soleil se lève. Émerveillé, Paul traverse maintenant des champs cultivés.

Sa fatigue est si grande qu'il a l'impression de porter l'univers entier. Enfin, il aperçoit une haute palissade de troncs d'arbres et de pierres grises. C'est Laurania. La fumée s'élève des cheminées du village. Des chiens aboient. Les oiseaux chantent dans les arbres verdoyants.

Paul dépose avec précaution le petit blessé sur le

bord du sentier. Un peu de repos pour son dos cour-baturé! L'adolescent étudie la situation.

Luc ouvre les yeux. Un sourire éclaire sa figure pâle. Paul lui glisse une capsule hydratante entre les dents et en prend une lui-même.

Luc ferme les yeux et semble se concentrer. Ses lèvres remuent en silence. "Il délire", pense son grand frère, qui essuie avec compassion son front souillé de sang et de vase.

— Paul, je viens de parler à Agatha. Je lui ai annon-cé notre arrivée. Mais elle semble très malade. Ses idées sont pleines de monstres et de cauchemars. Peut-être qu'elle n'a pas compris.

Paul en est sûr cette fois: son petit frère a perdu la tête. Il se relève et se prépare à le soulever dans ses bras.

Mais une nouvelle menace surgit au détour du sen-tier. L'adolescent n'a plus son piolet. Fébrilement, il cherche une arme autour de lui et ramasse un bâton. Debout devant Luc, il lui fait un rempart de son corps, attendant de pied ferme le nouvel adversaire. Il est résolu à vendre chèrement leur vie et à lutter jusqu'à la mort.

Dans un nuage de poussière, trois animaux gigan-tesques foncent sur les deux garçons. Ils fendent l'air de coups de leurs cornes aiguës, en poussant des mugissements menaçants. La terre tremble sous leurs sabots.

Paul croit sa dernière heure venue. La première des

bêtes avance droit sur lui. Il a le temps de voir son pelage blanc largement tacheté de noir.

Il brandit résolument son bâton. À sa grande surprise, l'animal fait un crochet et passe à côté de lui sans lui faire de mal.

— Je lui ai fait peur, jubile Paul.

Il se sent toutes les audaces après cette victoire facile.

— Hou!, crie-t-il bravement aux deux autres bêtes. Nerveusement, elles détalent sans en entendre davantage.

— Il suffit de les regarder dans les yeux. Ce doit être des buffles sauvages, comme on en combattait dans les arènes de Rome.

À ce moment, le reste du troupeau surgit. Paul constate avec stupeur que les énormes bêtes sont menées rondement par un minuscule gamin. Il leur pique les flancs avec une branche, et les bovins dociles filent, la queue basse, devant leur berger autoritaire.

La présence déguenillée des deux garçons de Surréal ne semble pas surprendre le gamin. Il les salue joyeusement et poursuit sa route.

Paul reprend son fardeau. Il se dirige vers le village fortifié avec Luc dans les bras. À leur approche, la grande porte s'ouvre et un groupe vient à leur rencontre. Il est dirigé par un vieillard imposant. Les cheveux flottants et la barbe blanche du patriarche encadrent sa figure austère.

Les femmes et les hommes sont tous vêtus de longues tuniques de laine brune. Ils sont armés de lances et d'arcs rustiques. Tous ont les cheveux longs; cette profusion capillaire paraît ridicule et superflue aux Surréalais.

Quelles sont les intentions des Lauraniens? Paul ne peut le deviner. Cependant l'audace semble lui réussir à l'Air Libre. La tête haute, portant toujours son jeune frère, il va calmement vers eux.

On l'entoure. Un géant blond lui enlève Luc des bras. Une femme soulève doucement la tête du petit garçon; une autre lui fait boire un liquide blanc qu'il avale sans méfiance. Paul est maintenant rassuré sur le sort de son frère. Le patriarche s'approche de lui et lui serre les deux mains avec émotion; des larmes coulent sur ses joues.

— *Welcome! Welcome, my child.*

Paul est stupéfait de reconnaître ce langage. C'est une langue morte qu'il a étudiée au cours de préhistoire: l'anglais. En cherchant un peu ses mots, il arrive à répondre dans leur langue à cette bienvenue.

L'enthousiasme de la foule éclate. Ces gens simples ouvrent leur coeur aux représentants d'une race nouvelle. Ils sont prêts à les accueillir fraternellement. On se presse autour d'eux. On touche les vêtements en lambeaux, on examine les sandales de plastique maculées de boue. Puis on les entraîne vers le village.

Paul n'oubliera jamais sa première impression de Laurania: ces cabanes rustiques baignées de soleil, la petite église de bois rond, le puits au centre de la place et la haute palissage qui protège cette vie de lumière.

Des odeurs étranges le surprennent: cuisson des aliments sur des feux de braise, herbes aromatiques jetées dans les flammes pour combattre la maladie.

À ce moment, Luc appelle de la paillasse où on l'a déposé:

— Où est Agatha?

On se retourne vers lui. Quelques télépathes du groupe traduisent sa requête. Le géant blond prend la parole:

— Agatha est ma fille. Elle est très malade, couchée à la maison. Elle nous a annoncé votre visite. Nous avons cru que le démon de la maladie la faisait déraisonner. Elle dit que vous venez nous sauver tous.

— Puis-je la voir?

— Elle ne reconnaît personne. Et c'est dangereux d'approcher une malade. La mort laide a déjà pris ma femme et mon fils. Ma maison est condamnée!

Désespéré, le brave homme cache sa figure dans ses mains. Calmement, Luc déclare:

— Je suis immunisé. Paul, dis-leur que je peux la voir.

Le grand frère est rappelé à la réalité. Il explique au patriarche les effets extraordinaires des rayons, qui détruisent les microbes instantanément. Aussitôt, un groupe de volontaires part sur ses instructions pour récupérer la précieuse boîte abandonnée dans la forêt.

Quatre heures plus tard, les villageois se réunissent dans l'église pour remercier Dieu de l'incroyable miracle. La mort laide est vaincue.

Le premier, le père d'Agatha a osé s'approcher de la machine bourdonnante. Il tenait dans ses bras sa fillette brûlante de fièvre. Baignée dans le rayon blanc, la petite fille s'est transfigurée devant eux. Sa fièvre a disparu en quelques secondes. Son pouls est redevenu normal. Elle a ouvert les yeux et demandé à manger.

La guérison suivante est encore plus spectaculaire. C'était un garçon dans le coma. Son corps couvert de plaies s'est cicatrisé sous les yeux incrédules.

Tout le village, les mourants, les malades et les bien portants ont défilé à tour de rôle. Les plus frappés resteront faibles pendant quelques jours, mais plus personne ne mourra de la "mort laide". Les joyeuses cloches de l'église le clament à tous les échos.

Paul est maintenant invité à partager le repas frugal des Lauraniens. Il n'a jamais contemplé pareil festin. Il goûte à tout, mais en portions infimes. On le taquine sur sa modération. Il craint les conséquences de la gourmandise sur un système habitué aux concentrés nutritifs.

Discrètement, il avale la pilule-repas apportée de la demeure. Il sera toujours temps d'apprendre à manger. Un mets cependant le séduit du premier coup. C'est le sirop d'érable. Il repense à la préférence de son camarade Bernard pour cette essence. Les carrés du service de diététique sont une bien pâle imitation de la réalité.

Longuement, il parle avec le patriarche. Chacun retrace l'histoire de son peuple.

— Mon enfant, d'où vient le nom de Surréal que porte votre Cité?

— C'est plutôt l'évolution d'un nom. Les fondateurs l'appelèrent "sous le Mont-Royal", qui devint Sous-Réal, puis Surréal.

— Nous ignorons tout de nos propres origines. La civilisation passée a été complètement détruite. Il ne reste que des ruines. Tout ce que l'histoire nous a laissé, c'est une aversion de la guerre. Nous ne savons même pas d'où vient le nom de notre village: Laurania.

— N'est-ce pas à cause du fleuve Saint-Laurent?

— Alors, c'est l'ancien nom de la Grande Rivière? Vous avez donc conservé notre langage?

— Oui, c'est une langue ancienne que nous étudions en préhistoire.

— Et notre religion, la pratiquez-vous aussi?

— De ce côté, nous avons régressé, j'en ai peur. Notre culte est très simple. De toutes les croyances de nos ancêtres, nous avons seulement gardé la notion d'un Premier Moteur, source de vie. Et encore, avec les siècles, nous l'avons transposé. Nous prêtons à une machine des pouvoirs surnaturels.

— Vous ne croyez plus à Dieu?

— Nous avons surtout oublié qu'il existe. C'est bien difficile d'imaginer un créateur quand tout ce qui nous entoure est créé par les hommes. La vue de la nature va tout remettre en question pour les Surréalais.

— Nous vous aiderons. La religion est le centre de notre vie à Laurania.

— Et comment expliquez-vous la télépathie? Plusieurs la possèdent dans votre tribu.

— Nous croyons qu'elle est le résultat de mutations à la suite des radiations. C'est une faculté bien étrange! Les télépathes ne se vantent pas de leur particularité; ils s'efforcent plutôt de nous la faire oublier.

— Ça me paraît une faculté très utile. Grâce aux avertissements d'Agatha, notre réception a été très chaleureuse.

— Oh! cette enfant est unique. C'est la plus douée pour la télépathie. Elle reçoit et émet des pensées à des distances considérables.

— En effet! Elle a attiré Luc jusqu'à l'Air Libre!

— Votre frère est le seul télépathe, à Surréal?

— Je le crois. Et je me demande bien d'où cela lui vient. Peut-être que c'est à force de vivre près des rayons de papa. Mon père va sûrement se plonger dans l'étude de ce phénomène!

— Nous aurons besoin de lui. Nous avons tant de choses à apprendre, mon enfant!

— Et vous avez à nous enseigner tout ce qui est pour vous simple et naturel.

L'après-midi, le patriarche charge un groupe de jeunes de la tribu d'emmener Paul en promenade. La bande bruyante longe le fleuve. On montre à Paul les poutres tordues et noircies d'un pont préhistorique.

À l'intérieur des terres, vers l'est, on lui fait visiter d'autres ruines. Parmi tous ses guides, Paul préfère vite une jeune fille aux tresses blondes. Elle est plus subtile que les autres. Il la soupçonne d'être un peu télépathe.

Ensemble, ils parcourent les avenues bordées de tas de pierres, coeur d'une grande ville disparue. La végétation a tout envahi. Les Lauraniens ont pris les matériaux récupérables pour construire leur village.

Son joli guide montre à Paul les fondations en forme de croix d'un édifice. Il devait être immense: des montagnes de décombres entourent une excavation très profonde.

— Il faudra faire des fouilles archéologiques là-dedans. Nous avons encore des cartes de la ville préhistorique de Montréal. On pourra retracer les rues et les édifices. Ça, ce sera un fascinant cours d'histoire ancienne.

Cependant, l'histoire actuelle intéresse bien la nouvelle amie de Paul. Elle le questionne sans arrêt. Mais cette attention ne lui monte pas à la tête, car la blonde enfant a le fou rire chaque fois qu'elle regarde le crâne chauve de l'adolescent. Paul rage en silence:

— C'est stupide! Elle est anormale avec cette toison et c'est moi qui me sens ridicule.

Il doit pourtant admettre que cette masse de cheveux blonds complète bien un visage ravissant . . . Quand on s'y est habitué!

Le soir même, le jeune homme retourne à Surréal, joyeusement escorté. Luc, engourdi par des tisanes de plantes médicinales, reste à Laurania. Paul le laisse sous les soins d'Agatha. Il n'a pas osé lui imposer les fatigues d'un nouveau transport. Il lui a promis de revenir le lendemain avec son père . . . et un appareil photographique.

CHAPITRE 16

ERIC À LA RESCOUSSE

Depuis une heure, un silence écrasant règne à la Centrale. Presque tous les ingénieurs sont retournés chez eux, la mort dans l'âme.

Seuls, Georges 6B12, sa femme, l'ingénieur en chef, le médecin et quelques techniciens commencent une veille funèbre près du haut-parleur. Ils ne peuvent se résoudre à abandonner ce dernier lien qui les unit à Bernard.

Soudain, la voix de madame 6B12 les fait sursauter.

— Et s'il n'était pas mort? Et s'il vivait encore là-bas, dans le conduit? Peut-être qu'il ne peut pas parler.

— Impossible, dit le médecin. Mes appareils n'enregistrent aucun battement de coeur, aucune pression.

Rien ne peut ébranler la mère.

— Sa combinaison a peut-être été arrachée ou les instruments brisés.

C'est un fol espoir, mais le chef, homme d'action, s'y accroche.

— Eh! Radio, tourne la réception au plus fort. Et place un amplificateur de son devant le micro.

Pendant quelques secondes, le crépitement des ondes emplit la pièce. Puis un autre bruit s'y mêle, à peine perceptible.

— Il respire. Je l'entends respirer!

Folle de joie, la maman se jette au cou de son mari. Le médecin constate:

— C'est bien une respiration. Très faible, très lente, mais régulière.

— Alors, il faut aller chercher Bernard immédiatement.

Madame 6B12 déclare aussitôt:

— J'irai. Je ne suis pas tellement grosse. Je passerai dans les conduits.

— Dans les conduits, peut-être, quoique j'en doute. Mais jamais dans le tunnel des Autres. Bernard lui-même y tenait à peine.

— Alors, envoyons un enfant!

— Lequel? Qui osera s'aventurer là après ce qui est arrivé?

Madame 6B12 affirme:

— Il y a un enfant qui peut aller chercher Bernard. C'est un petit garçon courageux et fort. Il risquera volontiers sa vie pour son frère.

— Eric! s'exclame son mari. Tu crois qu'Eric en est capable?

— Il n'est pas aussi agile que Bernard, mais il nage et plonge si bien! C'est la timidité qui le rend gauche. Il le fera pour son frère.

Le père réfléchit:

— Nous le guiderons par radio comme nous avons guidé Bernard. Ça le rassurera. Et l'idée qu'il va sauver son frère l'aidera à dominer sa peur.

— Allez chercher Eric, ordonne le chef à ses subordonnés.

— Il doit dormir dans son cube-de-nuit à cette heure-ci, supposent ses parents, confiants.

Eric dort en effet, mais pas dans son lit. En boule sur un siège dur de l'express, le petit garçon rêve. Il a été emprisonné par le coupe-jour, dans un terminus très loin au nord. Il revenait vers sa demeure après avoir escorté Paul. Impossible d'accomplir ce long trajet à pied dans les rues désertes, sous la faible lueur des veilleuses. Philosophe, il s'est installé pour la nuit. Il espère que ses parents ne seront pas trop inquiets.

Mais ils sont inquiets maintenant. L'alerte est donnée quand on trouve le lit vide et la demeure déserte. Des chercheurs parcourent la Cité en tous sens. Les haut-parleurs appellent à la ronde. On rétablit les circuits électriques pour faciliter les recherches. Eric, se croyant rendu au matin, trouve la nuit bien courte. L'express le dépose à son arrêt.

Encore tout endormi, il ne remarque pas les exhortations des haut-parleurs; il ne les écoute jamais de toute façon. Il pénètre dans sa demeure pour tomber dans les bras de son père affolé. Et il n'est pas encore complètement réveillé quand il se retrouve à la Centrale, serré contre sa mère. Il est le point de mire d'un tas de gens agités qui lui expliquent tous ensemble des choses qu'il ne comprend pas.

Eric est douché d'eau froide et réveillé par une piqûre stimulante. La présence de sa mère le rassure. Il apprend finalement ce qu'on attend de lui.

Il accepte la mission dangereuse sans une seconde d'hésitation. Son frère aîné le protège et le gâte depuis toujours. Son coeur se gonfle de joie à la pensée qu'il va l'aider à son tour.

Très intellignet, le petit garçon comprend vite les instructions qu'on lui donne. On lui explique tout: la combinaison isolante, le radar, le masque-radio, le bracelet-détecteur . . .

Le médecin le charge d'une trousse de secours réduite, mais complète. Les secouristes lui enseignent la façon d'employer le sac-civière. Un mécanicien a adapté un petit treuil actionné par une pile. Ainsi, il pourra soulever Bernard dans les conduits verticaux.

Un ingénieur minier lui dit comment se frayer un chemin dans le tunnel, s'il est bloqué par l'éboulis. Un spéléologue le met en garde contre la sensation de panique causée par l'étroitesse et la longueur des conduits.

— Il faut t'arrêter, contrôler ta respiration et raisonner calmement. Tu as de l'air frais pour vingt heures. Il ne te faut que deux heures pour atteindre Bernard.

On lui remet enfin un masque de secours pour son frère et des capsules hydratantes. Avant de partir, Eric s'approche du haut-parleur. L'amplificateur transmet toujours la respiration laborieuse du blessé. Le petit garçon parle dans le micro:

— Bernard, je viens te chercher. N'aie pas peur! J'arrive.

Il embrasse sa mère. Dans un geste qui lui est familier, il saute au cou de son père. Monsieur 6B12 le soulève jusqu'à l'orifice du conduit 5. Il disparaît aussitôt, avec son sac-civière et le treuil.

Suivie au micro, la première partie de l'opération sauvetage s'exécute sans problèmes. Après quelques minutes de pratique, Eric trouve la façon la plus rapide d'avancer dans les tuyaux en remorquant sa charge. Les conduits verticaux lui présentent quelques difficultés, mais le petit garçon est stimulé par la pensée de son frère évanoui. Il s'en tire assez bien.

Il parvient à l'entrée du fameux tunnel. Dans son masque-radio, il dit à ses auditeurs anxieux:

— L'entrée est libre. L'éboulis commence plus loin. Le sol de roc est inégal . . . Il y a de plus en plus de pierres détachées. J'avance avec difficulté. Je crois que je vais faire un ménage ici. Je vais installer le treuil à l'entrée du tunnel et déblayer la galerie.

Suivant les instructions de l'ingénieur minier, Eric déroule le sac-civière et y glisse les grosses roches. Puis, à l'aide du treuil, il tire cette charge jusqu'au conduit, où il roule les pierres hors de portée.

Trois fois, il doit répéter cette opération de déblayage. Ça lui apprend à se servir de ses outils, et les ingénieurs en sont heureux.

Enfin, le cri tant attendu retentit:

— Je le vois! J'ai trouvé Bernard!

À ce moment, le médecin prend charge de l'opération. Eric est content d'être seulement une machine à exécuter les ordres. Il examine son frère. Il ne voit aucune blessure évidente, à part une entaille au front.

— Sa combinaison est déchirée, il n'a plus de casque. Il est toujours évanoui. La voûte s'est écroulée sur ses jambes. Je pense que je pourrai le libérer avec le treuil.

Après une séance de premiers soins sous les ordres du spécialiste, Eric entreprend son sauvetage. Lentement, il utilise la traction de son treuil avec l'adresse d'un vieux manoeuvre. Après une heure de travail intense, il peut enfin glisser Bernard jusqu'au conduit.

Épuisé, il prend quelques moments de repos. Il avale une pilule-repas et croque une capsule hydratante. Puis il replace la plaque de métal qui bloque le tunnel des Autres.

Courageusement, il entreprend le trajet de retour avec le blessé dans le sac-civière. Le petit garçon a bien des émotions dans les conduits verticaux. Il s'arrête souvent pour refaire ses forces.

Enfin, il a la joie de remettre son grand frère entre les bras de sa mère. Ils sont revenus des enfers.

Bernard est paralysé. Il faudra de longs mois pour le guérir, mais il vivra et, avec lui, Surréal.

CHAPITRE 17

SUR LES ONDES DU GRAND RÉSEAU

— Voici maintenant le programme d'audio-vision le plus excitant de la semaine, le plus suivi par tous à Surréal: "Écoutons nos grands orateurs". Aujourd'hui, un jeune au talent prometteur va présenter une conférence. Son nom est Paul 15P9. Il est le gagnant de notre fameux concours oratoire. À toi, Paul.

— Excellences du Grand Conseil qui m'écoutez, c'est à vous que je m'adresse d'abord. J'ai perdu mes privilèges de Citoyen de Première Classe, mais je vous demande une heure de grâce. La cause que j'ai à plaider n'est pas la mienne, mais celle de tous à Surréal. Je crois pouvoir parer la menace du peuple souterrain récemment découvert. Oui, ces voleurs d'électricité sont un danger pour la survie même de notre Cité. Aussi je vous demande de me laisser parler librement pendant une heure. J'attends la décision du Grand Conseil avec une respectueuse soumission. Dans l'intervalle, voici quelques photos que j'ai prises pour vous hier.

Au Grand Conseil, les sages se consultent.

— Quelle audace! "Respectueuse soumission", oui! Il mérite l'incarcération solitaire.

— Très mauvais pour l'autorité, cette provocation.

— Très mauvais aussi de jouer les bourreaux.

— Surtout aujourd'hui où les enfants sont à l'honneur, grâce aux petits 6B12.

— Nous le laissons parler? Il sera toujours temps de sévir.

— Je le connais. C'est un garçon très sérieux, comme son père. Il ne dira rien de subversif.

— Mais regardez donc, mes amis, ce qu'il nous montre à l'écran!

— Incroyable!

— Inouï!

— Extraordinaire!

Devant les regards émerveillés de Surréal, une série de photos projettent sur l'écran leur féerie de couleurs.

Sous un coin de ciel bleu, un arbre découpe la dentelle de ses feuilles; des fleurs rouges éclaboussent de leurs pétales écarlates, une prairie verte; un oiseau blanc, toutes ailes déployées, plane au-dessus des flots étincelants. Et enfin, une montagne lointaine découpe sa silhouette orgueilleuse dans un ciel rempli de nuages.

Le chef du réseau se tord les mains, épouvanté de l'audace du jeune hors-la-loi. Mais un message du

146

Grand Conseil le rassure. Paul est autorisé à poursuivre son émission. Le visage du garçon remplace à l'écran les visions d'un autre monde.

— Merci, Excellences. Citoyens de Surréal, nous nous croyons les seuls survivants de la Grande Destruction. Nous venons de découvrir un autre peuple souterrain; ses intentions ne sont guère amicales.

Mais il y a au-dessus de nous un autre peuple. J'ai vu ces hommes de l'Air Libre. Ils nous appellent leurs frères.

Pendant deux jours, mon père, le docteur 15P9, mon frère, Luc, et moi-même avons vécu parmi ces gens. Nous avons respiré l'Air Libre, sous le soleil, dans la nature. Nous vous apportons l'amitié des Lauraniens.

Très simplement, le jeune orateur raconte la découverte de Luc, l'amitié d'Agatha, l'opération rayons, sa première impression du village de Laurania.

— Après tous les examens et les recherches effectués par mon père, il est maintenant prouvé que l'Air Libre est pur. Les radiations fatales ont disparu complètement. La nature a reconstruit sur les ruines des hommes. Le monde entier nous appartient, si longtemps caché à nos yeux. Le temps de la redécouverte est arrivé! Nous ne sommes plus prisonniers sous la terre. Nous pouvons retourner à l'Air Libre. Je suis encore enivré par le souvenir de ces heures inoubliables passées à Laurania.

Pour vous faire apprécier les beautés de la nature, quel meilleur avocat que la nature elle-même? La voici comme elle s'est montrée à moi pendant vingt-quatre heures d'extase.

Voici le jour et voici la nuit de la terre, voici le soleil et la lune, la forêt et le fleuve sortis de la préhistoire. Citoyens de Surréal, je vous présente l'Univers.

Les photos se succèdent. Elles provoquent dans les coeurs la nostalgie de l'Air Libre.

Sur les instructions du Grand Conseil enthousiasmé, l'émission est prolongée. Le jeune conférencier décrit tout ce qu'il a vu en détail à un public avide. Il présente Laurania et ses habitants, le patriarche, Agatha et son père. Une jolie fille blonde semble faire partie de tous les paysages . . .

CHAPITRE 18

LE RECOMMENCEMENT

Bernard est étendu dans son cube-de-nuit, entouré de sa famille. Il boit à petites gorgées un verre de sirop d'érable. Son chef de quart au ballon-robot, Paul, lui en a offert une cruche pleine. Le blessé s'exclame:

— Il a toujours eu la langue bien pendue, ce gars-là. Vous avez vu comme il a retourné le Grand Conseil?

Eric commente:

— Ça lui nuit autant que ça l'aide! Maintenant, ça lui donne beaucoup d'ouvrage. Il doit explorer et photographier toute la journée et présenter une émission d'audio-vision chaque soir . . . Maman, crois-tu que nous pourrons faire une excursion à l'Air Libre, demain?

— Certainement, Eric. Ce sera très bon pour Bernard. Il fera ses exercices de rétablissement au soleil.

— Bravo! Papa, est-ce que nous nagerons bientôt dans le fleuve Saint-Laurent?

— Rien ne nous en empêche! L'eau en est très

pure et très claire. Nous irons demain. Nous pourrons plonger des ruines du pont préhistorique.

L'ingénieur en chef, impétueux comme toujours, demande à son assistant:

— Y croyez-vous, à cette histoire de lancer une corde à l'eau pour en retirer un poisson. Ça me paraît être un drôle de sport.

— Avant la Destruction, les ancêtres le pratiquaient beaucoup.

— Je dois essayer ça bientôt. Le père d'Agatha, un grand blond, a dit à Paul qu'il m'emmènera dans son bateau. Nous serons assis sans bouger, en silence, pendant des heures! Je me demande si les poissons mordront à mon bâton!

— Ha, ha, ha!

— Pourquoi riez-vous?

— Le premier pêcheur de Surréal . . . Les congés du chef, un passionné de la pêche . . . Je vois ça d'ici!

Les membres du Grand Conseil commentent leur rencontre avec le patriarche de Laurania.

— Quelle dignité!

— Quelle majesté!

— C'est surtout à cause de ses cheveux et de sa barbe blanche.

— Vous croyez, cher ami?

— J'en suis convaincu!

Il frotte pensivement son crâne chauve.

— Il doit y avoir un moyen . . .

— Demandons au docteur 15P9 de faire des recherches sur la pousse des cheveux.

— Excellente idée, mes amis!

Le docteur 15P9 pose la main sur la tête nue de son plus jeune fils.

— Dis donc, Luc, est-ce que tu te vois avec des cheveux, comme ton amie Agatha?

— Tu crois que c'est possible, papa?

— Cela va bientôt être nécessaire, pour éviter des problèmes d'insolation. Et cela te protégera des moustiques lors de nos campements dans la forêt. D'ailleurs, le service de diététique m'a déjà demandé de produire des hormones synthétiques . . .

— Paul, de quoi parleras-tu à ton émission de ce soir?

— Des ruines de Montréal que nous avons visitées

ensemble, de mes fouilles archéologiques, des reliques que j'ai trouvées. Tiens cette bouteille verte dans ta main, je veux te photographier. Tu comprends, un être humain, ça donne de la vie au décor . . . et tu es si jolie avec tes cheveux blonds . . .

ACHEVÉ   D'IMPRIMER
EN   SEPTEMBRE   **1993**
SUR LES PRESSES DE
PAYETTE & SIMMS INC.
À SAINT-LAMBERT, P.Q.